PENSAMIENTO POSITIVO

ALONSO **V**ENAQUEZ

Alonso Venaquez © COPYRIGHT 2020

INTRODUCCIÓN Los psicólogos suelen decir que depende de nosotros sentirnos bien o mal. Esta afirmación no está exenta de controversia, ya que hay quienes piensan que hay circunstancias que no dependen de nosotros y pueden hacernos sentir mal. Es cierto que muchas experiencias externas fuera de nosotros pueden hacer que nuestro estado de ánimo se tambalee. Pero también es cierto que nuestra mente procesa cada evento, y el significado que le daremos no dependerá de nadie, sino únicamente de nosotros mismos. El pensamiento positivo está estrechamente asociado con el optimismo. Una persona que percibe positivamente el mundo y ve el "lado bueno de las cosas" se sentirá mejor en salud física y mental que una persona que piensa de manera negativa, ansiosa e incluso deprimida. Una p El pensamiento positivo no es un concepto nuevo. Es un norte enfoque terapéutico basado en la autosugestión que busca adherirse para el tema a ideas positivas. La persona debe tener acceso al bienestar y lograr una salud óptima repitiendo mensajes positivos veinte veces al día. Pensar en el cuerpo puede actuar directamente. Te sientes bien cuando reemplazas los pensamientos negativos con calma y confianza. , y paz. Además, para superar los trastornos del sueño, la tensión muscular, la ansiedad y la fatiga, el pensamiento positivo puede ayudar. Las personas que piensan negativamente sufren más ansiedad y depresión. El pensamiento positivo tiene un efecto positivo en la supervivencia de las personas sanas y enfermas. Tener una buena moral, sin embargo, también predispone a comportarse de manera más "positiva" en términos de salud. De hecho, los estudios muestran que comportamientos más virtuosos acompañan a esta disposición mental. Por supuesto, solo por la tensión, nuestros sentimientos , o nuestros pensamientos, no nos enfermamos. Pero ahora podemos asumir que nuestras emociones y acciones causan muchos de los síntomas y enfermedades. Los pensamientos son poderosos. Nuestras vidas siempre han sido moldeadas por ellos. Piense en positivo y espere resultados positivos. Las situaciones y circunstancias , por lo tanto , ¡cambio!

CAPÍTULO UNO El poder del pensamiento positivo "Con el tiempo, todos encuentran su lugar . " Algunos lo llaman Dios, otros Alá o Jehová, y aún otros "Karma , " esa entidad misteriosa que nunca juzga. Todo el mundo cree lo que le dicta su moral, su cultura o su religión. Pero, ¿podemos confiar en esta afirmación? ¿Está realmente escrito nuestro destino? Es difícil responder a esta pregunta con claridad. En cualquier caso, cada uno de nosotros es único y nuestras acciones pueden ser "buenas o malas . " Cuando atravesamos pases difíciles, si queremos salir de él, tenemos que intentar superarnos, conocernos mejor y aprovechar las crisis que podemos vivir en nuestra vida. Finalmente, nos damos cuenta de que nuestra felicidad esmás fuerte que nada y que nada ni nadie podrá alcanzarlo. Así es como podemos "encontrar nuestro lugar en la vida" y emprender un nuevo camino. Siempre adelante Muchos de ustedes se están preguntando cómo es posible hacer que cada momento de la vida sea maravilloso. Evidentemente, no existe una fórmula mágica y el método que proponemos no es infalible. Hagamos lo que hagamos, siempre tendremos que enfrentarnos a eventos que se nos presenten en contra de nuestra voluntad. Sin embargo, eso no significa que nos merezcamos estos eventos, o que nos sucedan porque somos una mala persona fundamentalmente. Solo tienes que superar estos eventos para que puedas crecer como persona y volverte emocionalmente más fuerte. Si aplica este método, seguramente conocerá mejores días. Al tener pensamientos positivos, reduce el riesgo de tener que lidiar con eventos negativos. De hecho, el pensamiento positivo es un arma muy poderosa y mucha gente no lo sabe. Si logra dominarlo, se sorprenderá de los resultados. Para llegar allí, cada vez que se te presente un evento negativo, debes tratar de encontrar una solución rápidamente y ver el lado positivo de las cosas. De esta manera, te ganarás a ti mismo - estima y confianza en ti mismo porque habrás logrado arreglártelas por tu cuenta. Te considerarás una persona fuerte, activa y capaz de superar cualquier tipo de obstáculo. De hecho, ¡la positividad exige positividad! Cosechas lo que siembras Una de las formas de dominar el "poder" del pensamiento positivo es el altruismo. De hecho, si escuchamos a nuestros seres queridos cuando necesitan confiar en nosotros y tratamos de ayudarlos a resolver sus problemas, entonces nos sentiremos más en armonía con nosotros mismos. Ganaremos mucha autoestima gracias a este altruismo que nos hará mejores personas. Si ayudas a un amigo, este definitivamente llegará contigo cuando sea tu turno de necesitar apoyo. ¡Al final, todo el mundo es un ganador! Si, por el contrario, cultivamos el pensamiento negativo, entonces solo tendrá el efecto de atraer aún más negatividad. No tiene sentido acostarse en la cama y llorar y caer en la autocompasión ante la menor molestia.

CAPITULO DOS ¿Cómo convertir un pensamiento negativo en positivo? ¿Se puede transformar el pensamiento negativo en pensamiento positivo? Barbara Fredrickson, psicóloga de la Universidad de Carolina del Norte (EE. UU.), Demostró cómo una actitud optimista ante la vida c debería ayudar al cerebro a combatir las emociones negativas. El investigador encontró que a través de ciertos ejercicios se puede entrenar al cuerpo para desarrollar respuestas positivas y multiplicarlas, generando así un amortiguador natural contra el estrés y la depresión . Lo primero que tenemos que dejar claro es que los pensamientos de "declarar la guerra" nos atacarán. Si nos resistimos, nos oponemos o negamos el pensamiento negativo cada vez que nos viene a la mente, persistirá y permanecerá en nuestras mentes. Cada pensamiento desencadenará más pensamientos de su propia naturaleza hasta que genere toda una avalancha cognitiva que no nos ayuda. Los pensamientos que tenemos pueden afectar nuestra vida diaria e incluso nuestras emociones y comportamientos. Es importante comprender la relación entre contrarrestar el pensamiento negativo y reducir sus consecuencias negativas. Para hacer esto, lo primero que debe hacer es identificar nuestros patrones automáticos de pensamiento negativo, que , por la fuerza de la costumbre , se han convertido en parte de nuestras creencias fundamentales . Nuestras creencias fundamentales están llenas de inclinaciones o distorsiones cognitivas. Es el momento de identificar y combatir estas distorsiones para generar pensamientos positivos ante cada nueva situación. Estas inclinaciones o distorsioness hacer que nuestra mente elimine la información que no nos conviene para mantener nuestras creencias y ampliar o incrementar la información que concuerde con nuestra forma de vivir la vida. "El trabajo de pensar se asemeja a perforar un pozo: el agua está turbia al principio, pero pronto se aclara". -Proverbio chino- Los pensamientos son solo una parte modificable de ti. El cerebro no busca la verdad, sino sobrevivir. En un mundo prehistórico, esta forma de comportamiento mental era muy apropiada, pero muchas cosas han cambiado hoy. Ahora hay menos necesidad de responder rápidamente para sobrevivir, como respuesta adecuada a cada situación. Debemos recordar que nuestro cerebro a veces puede equivocarse: puede mostrarnos la situación como cree que es, no como realmente es. La mente trata de ahorrar energía, de darnos rápidamente una respuesta concreta para intentar tomar el control y ofrecernos seguridad y tranquilidad. Es en estos atajos mentales donde ocurren las mayores distorsiones. Nuestro cerebro primitivo tiende a actuar con rapidez, de la misma forma que sobreviven nuestros antepasados, y por eso nos enfrentamos a un exceso de generalizaciones, filtraciones negativas y rigidez mental cuando manejamos la información a toda velocidad. Hoy, en nuestra sociedad, existen muy pocas situaciones de peligro real en las que nos encontremos en la vida cotidiana; Casi todas las situaciones de amenaza son imaginadas o cuyas consecuencias son exageradas. Procesar información rápidamente nos hace caer en prejuicios que intentan agudizar una imagen distorsionada por la rapidez con la que intentamos procesarla. Una de las mayores distorsiones involuntarias es aceptar como verdad absoluta la probabilidad de que algo suceda. Esto hace que actuemos con ansiedad o depresión sin el hecho. Solo alrededor del 20% de nuestros pensamientos ocurren realmente. Entonces nuestros pensamientos no deben ser los jueces de nuestras vidas, sino los espectadores. "Ni siquiera tu peor enemigo puede hacer tanto daño como tus propios pensamientos". Comprende tu mente y tu mente la entenderá. Para la mayoría de nosotros, tenemos el hábito de dedicar parte de nuestra atención a las actividades que estamos haciendo en este momento, mientras que la mente y los pensamientos se centran en otros asuntos. Actuar de esta forma es vivir con el "pilotaje automático", cuidando lo que hacemos sin ser conscientes de los detalles del momento. Ser plenamente consciente de lo que ocurre aquí y ahora es el estado ideal para combatir los pensamientos negativos. Aceptar que tal pensamiento es necesario bajo ciertas circunstancias, y un círculo vicioso de nutritivas premoniciones negativas nos proporciona la clave para reemplazarlos con pensamientos más ajustados a la realidad. Puede haber elementos de ciertas situaciones que no podemos cambiar, como el dolor, la enfermedad o una circunstancia difícil, pero al menos nos damos cuenta de cómo podemos responder o responder a lo que sea que nos suceda. Al hacerlo, podremos desarrollar estrategias para cambiar la relación que tenemos con nuestras circunstancias y los filtros, no siempre amigos, que usamos para procesarlos. "El cazador que persigue a dos conejos tampoco atrapa".

CAPÍTULO TRES Pensamientos negativos: hábitos poco saludables para cazar. Los pensamientos negativos ocupan un lugar importante en nuestra mente para que puedan prevenir el punto en el que vivimos literalmente. Puedes aspirar a una nueva vida, pero tus pensamientos son tu primer obstáculo. Me gustaría hablar de los 10 pensamientos negativos que surgen con más frecuencia en nuestra mente para ser conscientes de ellos para mejorarlos y convertirlos en fortaleza mental. 1. Tener una mala imagen de sí mismo. Muchos de nosotros podemos tener una mala imagen de nosotros mismos porque no confiamos en nosotros mismos, nos enfocamos en lo negativo;rumiar sobre los fracasos y las dificultades en lugar de ver las oportunidades y el aprendizaje que hemos aprendido. De nuestros errores pasados. Es importante entender que cuanta más energía concentre en una dirección, más iré en esa dirección que visualizo en mi mente. Todo sucede sobre todo en nuestra cabeza. Al imaginar nuestra mente como una caja que no paramos para llenar los pensamientos negativos, te das cuenta de que hay más espacio para poner pensamientos positivos y construir una buena autoestima. Por ejemplo, al tomar el hábito de anotar todo lo que hemos hecho bien durante el día, estamos obligados a enfocar nuestra energía en las cosas buenas y no detenernos en las cosas malas que no nos aportan nada. Tenemos dentro de nosotros el centro de atención de nuestra vida. Si nuestro estado mental no está claro, es seguro que nuestra vida exterior, tal como la vivimos, no florecerá porque reflejará nuestro estado interior. Por otro lado, si tienes la mente lúcida y despejada, todo estará alineado en tu vida para ir en la dirección que quieras: construir una familia, encontrar el trabajo de tu vida, montar un negocio, dar la vuelta al mundo, aprender un nuevo idioma, comunicar sus conocimientos y habilidades a gran escala , Una mente clara y lúcida es sinónimo de poder. El poder es nuestra capacidad para creer en nosotros mismos y asociar una imagen positiva de nosotros mismos. Una vez que la mente está despejada, pueden seguir acciones externas para ir en la dirección que elija. Al realizar acciones, no intente preguntar si son buenas o malas. Siempre encontrará fallas en lo que está haciendo porque a menudo idealizamos las cosas en nuestra cabeza. Pero la clave es dar siempre lo mejor de ti mismo para no culparte. 2. La mirada de los demás y la necesidad de aprobación. Otro pensamiento en el que es importante trabajar es siempre preguntarse qué piensan los demás de nosotros. No nos importa lo que la gente piense de nosotros. Cuántas personas viven a través de los ojos de los demás durante años para ver decenas de años y finalmente darse cuenta de que vivieron la vida de otro o en el lugar de otro: sus padres, sus profesores, sus compañeros, la televisión, ... Cuántas personas tienen todo para ser felices: marido / mujer, hijo (s), buen salario, linda casa, etc. pero que básicamente no se sienten felices, que encuentran que las semanas son largas, que esperan el fin de semana con impaciencia e incluso quienes a veces tienen dificultades para apreciar los momentos que pasan con la familia. ¿Cuántas personas se sienten completamente desecadas por dentro porque no viven de lo que están hechas? Siempre preguntarse qué piensan los demás de nosotros es sinónimo de parálisis. Nos paralizamos para vivir nuestro derecho a ser libres, a ser uno mismo porque nuestro miedo a la mirada ajena nos obliga a jugar un papel, un personaje que no estamos en el fondo. Sobreestimulamos nuestro cerebro izquierdo para tratar de anticipar, comprender y explicar lo que los demás pensarán de nosotros en cada una de nuestras acciones. Si hago eso, él lo pensará y el otro pensará tal vez eso de mí. Primero nos rebajamos mentalmente antes incluso de intentar expresar nuestro verdadero yo. Es por eso que nunca pierdes una oportunidad que puede hacerte feliz siendo tú mismo incluso si esta oportunidad no agrada a los demás. 3. Arrepentirse del pasado. Otro pensamiento negativo para olvidar es el arrepentimiento por nuestros recuerdos pasados. En la vida, a veces tenemos que tomar ciertas decisiones que nos obligan a tomar decisiones. Dependiendo de las decisiones que tomemos, nos negamos a hacer nada nuevo, a probar la experiencia de su vida, emprender una aventura, decirle "te amo", comenzar una actividad por fea.o por excesivas necesidades de seguridad que nos vuelven a paralizar. El miedo es nuestro peor consejero. Este miedo o necesidad de seguridad nos atrapa en una zona de confort que nos destruye lentamente sin darnos cuenta. Al elegir nuestra zona de confort y rechazar el cambio que es inevitable, nos condenamos a lamentar los acontecimientos del pasado. Para evitar el arrepentimiento, planifique 10 años después y diga esto: "Rara vez nos arrepentimos de habernos atrevido, pero aún no lo hemos intentado". La vida es demasiado corta para vivir lamentando nuestros recuerdos pasados de lo que deberíamos haber hecho o no. Si lo hicimos fue porque hubo una razón. Si no entendemos de momento, es que había un aprendizaje que adquirir, un pasaje para vivir que nos permita ir a donde queramos. A veces nos vemos obligados a vivir lo peor para obtener lo mejor, por lo que es inútil perder el tiempo lamentándolo. Solo a los que no hacen nada les suceden. Es por eso que dejemos de fijar la mirada en el pasado que no podemos cambiar y volvamos frente a nosotros a lo que queremos y al resultado que queremos. El camino se trazará como y cuando. 4. Proyectate en el futuro. A diferencia del pasado, tenemos otro hábito de pensamiento negativo que se proyecta constantemente hacia el futuro. ¿Cuál será el futuro? ¿Cómo van a suceder las cosas si hago esto si hago aquello? Tan perdidos en el torbellino de nuestros pensamientos absorbidos por nuestro cerebro izquierdo que nos impedimos vivir el momento presente. El momento presente se vive a través de la acción. Si estás en acción, estás en el momento y dejas de pensar. Cuando piensas, la acción se detiene, el presente inexistente y vives en tu pasado o en tu futuro. Es importante pensar y dar un paso atrás en nuestras acciones pero es aún más importante encontrar el equilibrio y distinguir entre nuestros pensamientos útiles y constructivos para avanzar en la vida y el torbellino de pensamientos que nos impide vivir. Es muy diferente. Planificar tu día del día antes de la noche antes de acostarte es una muy buena forma de pensar, visualizar tus sueños que quieres lograr es una buena forma de pensar también; nos enriquece y nos empuja a actuar. El pensamiento es constructivo y benevolente. Por otro lado, si uno piensa demasiado, por ejemplo, en todos los escenarios posibles que pueden ocurrir para hacer tal o cual cosa, uno se convierte en un prisionero de su mente y se impide actuar. El torbellino del pensamiento suscita nuestros miedos y nuestras dudas que nos paralizan. El pensamiento es malicioso y destructor de cualquier perspectiva de evolución. 5. Autocrítica. La autocrítica es diferente a cuestionar. El cuestionamiento es un interrogatorio de la posición actual de uno para tratar de aclarar la visión porque se conoce como claridad mental = poder. Por otro lado, la autocrítica es la forma en la que se da un paso atrás para criticarse a sí mismo pero que, en ningún caso, avanzará. Al contrario, es la mejor forma de tener una mala imagen de uno mismo como hemos visto anteriormente. La autocrítica es actuar sobre uno mismo un poco como un incomprensible y autoritario dictador, padre o maestro que nunca tolera el error. Al hacerlo, literalmente "matamos" al estudiante que está en nosotros y en constante búsqueda de aprendizaje. La sed de conocimiento es algo humano porque se asocia a la curiosidad; es una de las acciones energizantes que se pueden realizar. Tener curiosidad por todo es una de las mejores formas de devolver energía y sentirse vivo. Dejemos el tiempo para aprender, para aprender de nuestros errores, paraaprender de nuestras experiencias vividas para movernos serenamente en la vida. Es muy simple, cada vez que hacemos algo, se solicita una acción y hay dos posibles resultados: O gané y doy un paso más cerca de mi meta, O aprendí o sé que tengo que cambiar algo en mi próxima acción. En cualquier caso, sé que no pierdo porque estoy en permanente y continuo aprendizaje. No conozco a nadie que sepa todo sobre todo; es humanamente imposible, así que demos este derecho al error y dejemos de ser duros y rígidos con nosotros mismos. Esto no significa dejarse llevar sin ambición ni propósito en la vida porque tarde o temprano uno no se sentirá tan seco como si estuviera viviendo otras miradas como se dijo antes. Pero la autocrítica al centrarse en nuestros errores y fracasos es la mejor forma de quemarse. 6. Mentirse a uno mismo. Con demasiada frecuencia, nos escondemos detrás de la mentira para evitar el dolor y la sensación de malestar que puede provocar una situación incómoda. Para evitar estos momentos de estrés y presión emocional difícil que a veces nos pillan desprevenidos, el cerebro busca constantemente la tranquilidad y el cerebro reptil, particularmente impulsado por el instinto de supervivencia, buscará encontrar la zona de confort a lo sumo. rápido. Por lo tanto, es muy fácil mentir porque hace que la situación sea cómoda y relajante en este momento. A la larga, esa es otra historia. Cuando comenzamos a mentir a los demás, nos mentimos a nosotros mismos porque no asumimos ser la persona real que somos, es decir, que hacemos de un personaje para "acariciar" al otro en la dirección del cabello. Ponemos una barrera entre nosotros y el personaje que interpretamos mediante una mentira. Es importante entender que solo la verdad puede destruir este carácter efímero que se ha creado para protegerse por un momento. Tarde o temprano, tendrás que ser sincero porque el personaje de ficción que se crea para complacer a todo el mundo ocupará gran parte de nuestra vida, mintiendo tras mentiras que nos apropiaremos y nos enfermará. Enfermo física o mentalmente, no importa, el cúmulo de mentiras contra uno mismo tendrá que salir de una forma u otra: Ya sea por una expresión abierta y segura de su verdad personal asumiendo usted mismo, O por una enfermedad que el cuerpo físico o mental no puede cobrar. Incluso si la verdad a veces es difícil de expresar, tragar y admitir ante su interlocutor, es importante ser verdad. Mejor una persona de verdad que pueda herir, una persona equivocada que te acaricie en la dirección del cabello y te haga perder el tiempo mientras te das cuenta de su mentira. 7. Concéntrese en lo que no quiere. Muchas personas saben lo que no quieren, pero muy pocas saben lo que quieren. Es un pensamiento y un hábito mental muy perturbador porque enfocar la energía y la atención de uno en lo que uno no quiere nos va a apuntar precisamente en esa dirección. Recuerde, vamos allí; enfocamos nuestra energía y nuestra atención. Si sigues pensando, por ejemplo, que no quieres que tu novia te deje o que este tipo de pensamiento ocupe cada vez más espacio en tu mente, puedes estar seguro de que esta energía que estás dirigiendo afectará tu mente. Expresar. el significado del pensamiento. Si tu estado mental va en esa dirección, la luminosidad disminuye y el proyector dentro de nosotros cambiará el punto de observación. Por lo tanto, la situación exterior cambiará inevitablemente a medida que lo hagas. ve te cambiaste por dentro. Todo comienza primero en nuestra cabeza. La acción sigue nuestro estado mental abe realizado en un asunto exterior. Por eso dejemos de centrarnos en lo que no queremos, sino en lo que queremos. Si no sabes lo que quieres, primero debes empezar por ahí, de lo contrario tu claridad mental no será óptima. Por último, toma todo lo que no quieres y deduce mentalmente lo contrario, puede darte ideas para saber lo que quieres. 8. Compárese con los demás. Siempre hemos estado acostumbrados a competir con otros. En la escuela, en los deportes y a veces incluso en la familia. Este sentimiento de competencia es muy desestabilizador porque nos empuja a vernos como un peligro y alguien a quien huir o rechazar. Ver a los demás como una amenaza o un peligro a evitar es la mejor manera de encontrarse solo y encerrarse en el propio mundo sin querer expresarlo y exponerlo al mundo. No estoy diciendo que no debas ser competitivo o compararte, pero hazlo de una manera que tenga sentido para ti. Es importante comprender que siempre habrá mejores y peores que nosotros en todos los ámbitos de nuestra vida. Siempre habrá mejores que nosotros, por eso compararnos con los demás es la mejor forma de desanimarnos, de sabotear nuestra voluntad de ir más allá y hacernos infelices. Por otro lado, podemos compararnos con nosotros mismos y, por lo tanto, el enfoque es completamente diferente. Así que progresamos gradualmente a su propio ritmo al observar nuestras actuaciones individuales y solo las nuestras, no las de los demás. Los demás tienen sus bienes y los dones que les ha dado la vida. Tienes el tuyo. Usalos, usalos a ellos. La necesidad de realizarse y superarse se hace así y no comparándose con los demás. Por eso no tratas de ser mejor que los demás sino de ser mejor que la persona que eras ayer o hace un año. 9. Siéntete culpable. La culpa es también un pensamiento negativo que nos quema las alas. De hecho, cuando dejamos actuar a nuestra persona real, actuamos por su bien, vivimos su derecho a ser libres y, a veces, podemos sentirnos culpables de hacerlo. Culpable de ser egoísta, culpable de haber fallado en algo, culpable de lastimar a alguien. Vivimos en este sentimiento de que no tenemos derecho a equivocarnos y de que debemos ser sumamente generosos hasta el punto de olvidarnos de nosotros mismos. Es importante entender que si no piensas en un mínimo para cuidarte por ejemplo, nadie lo hará por ti. No porque los demás sean egoístas, sino porque tienen sus asuntos que manejar. Además, no es responsabilidad de otros administrar su negocio, depende de usted. Por eso no tengas miedo de pensar un poco en ti mismo para crecer y crecer. ¿Cómo quiere ayudar a alguien y tirar de él si no se ha tomado el tiempo de elevarse a sí mismo y a los demás a su altura? La culpa es un sentimiento que a veces nos roe y nos impide expresar plenamente nuestro potencial. Aceptémonos como somos, aceptemos nuestros errores por grandes que sean, siempre hay un aprendizaje detrás de nosotros. A veces, nuestros mayores sueños se disfrazan con nuestras peores pesadillas. Los errores, los fracasos son pasajes obligatorios para vivir la felicidad buscada por eso no tenemos en ningún caso necesidad de culpa para disminuirnos y hundirnos en la autocrítica. 10. Impaciencia. Últimos pensamientos negativos de los que me gustaría hablar, son los relacionados con nuestro estado de impaciencia. Nos acostumbramos a tenerlo todo, de inmediato en ese momento. Sin duda las nuevas tecnologías de la comunicación instantánea son en parte responsables de este hábito de pensar así, que hay que tenertodo ahora. Está claro que cuando se hace algo, la semilla que se ha plantado tardará más o menos en germinar. A veces tardará 1 día, 1 semana, 1 mes, 1 año, 10 años, tardará el tiempo que tarda en germinar. Nuestro universo está gobernado por una ley que se llama ley de causa y efecto, es decir, que cada caus Tendrá efectos a más o menos largo plazo y que cada efecto tiene necesariamente una causa que está en el origen. Todo esto para decir que cuando siembres una semilla: encuentra al hombre o la mujer de tu vida, encuentra la obra de tus sueños, aprende un nuevo idioma, da la vuelta al mundo, etc. te llevará más o menos tiempo. Date tiempo para aprender a regar esta semilla que has plantado con tus acciones llenas de buenas intenciones. Las cosas no son instantáneas, ya que puedes comunicarte con un amigo o familiar que está al otro lado del mundo. Cuando sientas que la impaciencia crece en ti con todas las dudas y miedos que dejaron ir con ella, recuerda todo el camino que has recorrido, las cosas que has aprendido, los obstáculos que has superado hasta ahora y que lo esencial no es el resultado, pero la dirección a seguir. Una dirección es un camino infinito hacia la evolución y el autoconocimiento, mientras que un resultado es un camino en el que uno ha trazado su propio límite que distorsiona nuestra percepción de la felicidad. No es por alcanzar el resultado tan esperado que uno w debería ser feliz, al contrario. Una vez alcanzada, la sensación de plenitud será efímera si no se redefine la perspectiva de la evolución. Por otro lado, cuando uno va por un camino y sabe que va por el buen camino, tomará el tiempo que sea necesario para que las semillas que se ponen en la tierra puedan germinar. Sentimientos negativos: ¿Cómo expresarlos de forma positiva? Mucha gente esconde sus sentimientos negativos, impulsados por una baja autoestima o ego. Otros esperan que otros adivinen lo que sienten. Aprenda a expresar sus sentimientos sin miedo y con eficacia. No importa si está emocionado, frustrado o triste, exprese sus sentimientos de la manera que se sienta más cómoda. Puede que te preocupes por los conflictos que estos sentimientos pueden generar con personas cercanas a ti, pero aún así vale la pena expresarlos. Los siguientes consejos le ayudarán a expresar sus emociones y sentimientos negativos sin miedo. 1. Piensa exactamente cómo te sientes Cuando puedes definir cómo te sientes en una o dos palabras, la ambigüedad se retrasa y puedes expresar tus sentimientos, emociones y pensamientos libremente. Trate de tener cuidado porque algunas personas pueden malinterpretar estas emociones. El siguiente paso es comprender el nivel de tus sentimientos, es decir, cuánta ira o tristeza sientes. 2. Identifique la causa de sus emociones. Identifica la razón o el pretexto detrás de tus emociones. Tal vez te hayan despedido de tu trabajo, por ejemplo. Una vez que tenga una razón aparente por la que está afectando su vida, puede ver la situación de manera objetiva y reducir los malentendidos. Conozca las cosas que le molestan y concéntrese en ellas mientras trata de expresarlas con palabras. 3. Exprésate pintando o escribiendo. No es necesario que se convierta en el nuevo Shakespeare, pero puede expresar sus sentimientos a través de anotaciones en el diario, historias o poemas que hablen de sus emociones. También puede dibujar y concentrarse en mostrar lo que tiene en mente. Por supuesto, esto es algo abstracto, pero no te preocupes porque solo se trata de expresarte libremente. 4. Deshazte de la ira con ejercicio La ira es una de las emociones más negativas para nuestro cuerpo. ies y nuestra mente. TPara evitar muchos de sus efectos negativos, podemos centrarnos en tener una buena sesión de ejercicio para liberarnos. Encuentre una actividad física que no pueda lastimar a nadie pero que le ayude a deshacerse de la ira fácilmente. Puedes optar por el kickboxing, el running o algún deporte como el voleibol o el tenis. 5. Habla con alguien en quien confíes Encuentre a alguien en quien pueda confiar para hablar sobre sus sentimientos. Si no tiene ganas de hablar directamente, puede usar una carta o un correo electrónico. De esta forma te librarás de tus emociones y obtendrás respuestas que te ayudarán a ver la situación desde otra perspectiva. 6. Gritar o llorar ... o ambos El llanto es una forma de liberar emociones y puede ser muy útil para deshacerse de lo que le duele. Algunas personas tienen dificultad para llorar aunque tengan que hacerlo. Si este es tu caso, es posible que veas una película triste que te facilite el contacto con tus emociones.

CAPÍTULO CUATRO Autoestima: técnicas confiables para la confianza En resumen, la autoestima es tu opinión general sobre ti y tus habilidades. Puede ser alto, bajo o en una escala intermedia. Si bien a veces todos tienen dudas sobre sí mismos, la baja autoestima (baja autoestima) puede hacerte sentir inseguro, no estarás motivado y dudarás de tus competencias. Afortunadamente, existen muchas técnicas probadas que puede utilizar para mejorar su autoestima. ¿Qué es la autoevaluación? Autoestima es una actitud hacia uno mismo. Las actitudes generalmente contienen tres componentes: Conductual (cómo nos comportamos hacia un objeto de actitud, en este caso hacia nosotros mismos) Afectivo (lo que sentimos sobre el objeto de la actitud, es decir, aquí hacia nosotros mismos) Cognitivo (lo que pensamos sobre el objeto de la actitud - sobre nosotros mismos) Como todas las actitudes, la autoestima también se puede dividir en: público (del que somos conscientes y podemos, por ejemplo, informar al respecto) oculto (cuyo origen desconocemos) La autoevaluación explícita es una creencia general en el valor de uno (por ejemplo, la capacidad de enumerar las ventajas de uno). Por otro lado, la autoevaluación oculta es la valoración de los objetos que asociamos entre sí. Por ello, es más inestable, porque en diferentes momentos podemos tener en cuenta diversos propósitos relacionados con tu "yo". La autoevaluación oculta dependerá de este objeto. Ejemplos: la autoestima oculta aumenta después de la victoria de un equipo deportivo con el que nos identificamos y disminuye cuando vemos algo que nos recuerda nuestros problemas; por ejemplo, miramos fotografías de modelos retocados, lo que reduce la autoestima al asociar con, por ejemplo exceso de peso. A veces, la autoestima se trata en psicología como un rasgo; luego decimos que la autoestima es una tendencia permanente a la autoestima positiva o negativa. Los rasgos se caracterizan por el hecho de que son relativamente constantes a lo largo de la vida (o porque en psicología no hay nada "seguro" que "nunca cambiará en lo más mínimo", pero, por supuesto, son posibles cambios lentos y menores). La forma en que entendemos y definimos la autoestima depende del concepto psicológico en el que la consideremos. En términos generales, las personas tienen una autoestima positiva (tanto explícita como implícita) más bien. Cabe señalar que, aunque una alta autoestima significa autoestima, una baja autoestima no significa que nos consideremos inútiles, sino que significa que no estamos seguros de nuestro valor y nuestra autoestima es inestable. ¿Qué afecta el nivel de nuestra autoestima? genes La primera "germinación" de nuestra autoestima es independiente de nosotros: las investigaciones muestran que una gran parte del nivel de autoestimase debe a la herencia genética. Entonces, la confianza en uno mismo tiene mucho más que ver con quiénes somos (y cómo nacimos) que con cuántos éxitos impresionantes logramos en la vida. Rasgos de personalidad Otro factor muy importante en la formación de la autoestima son los rasgos innatos de la personalidad, especialmente el neuroticismo, la extraversión y la conciencia. Estos son tres de los cinco llamados factores de personalidad descritos en la teoría de los Cinco Grandes por P. Costa y R. McRae. Según los investigadores, podemos examinar y describir la personalidad de cada persona en cinco dimensiones: Neuroticismo: estabilidad emocional: describe el equilibrio emocional, la tendencia a experimentar emociones negativas y estrés. Extraversión - introversión: se refiere a la cantidad y calidad de experimentar la interacción con otras personas Apertura a la experiencia: describe la tolerancia a las noticias emergentes y la curiosidad innata. Amabilidad - antagonismo: este es simplemente un tipo de actitud hacia los demás (como más positiva y favorable o negativa) Conciencia - desenfocado: describe el grado en que una persona es organizada, disciplinada y persistente en las actividades que deben llevar a un objetivo designado. Según la teoría de los Cinco Grandes, las características resultantes de los factores anteriores son universales y están condicionadas biológicamente. La investigación de Robin muestra que un El aumento de la autoestima está influenciado por: alta extraversión bajo neuroticismo alta diligencia Experiencia de vida El tercer factor, que a menudo enumeramos intuitivamente como el más importante (o incluso el único) son los resultados de las acciones tomadas. Por supuesto, cuanto mejores resultados logremos, mayor será la autoestima. Las más importantes son las situaciones que confirman la agencia de alguien, es decir, cómo sale alguien de lo que depende de él (los ejemplos más famosos serán las calificaciones por aprendizaje o los resultados en el trabajo). Aprendiendo de otros Para nuestra autoestima, también es indiferente a cómo nos perciben otras personas. Por supuesto, lo más importante serán las opiniones de nuestros seres queridos, a quienes creemos que cuentan: pareja, familia, amigos, jefe o colegas. Por lo tanto, hacemos que nuestra opinión sea similar a la idea de nuestros seres queridos sobre nosotros: los padres tienen un impacto enorme en la formación de la autoestima (los niños pensarán de manera similar sobre sí mismos, como los padres sienten por ellos). ¿Cómo protegemos nuestra autoestima? Debido a que intuitivamente sentimos que una alta autoestima trae muchos beneficios (y es simplemente placentero), queremos pensar bien en nosotros mismos. Podemos notar una serie de acciones (generalmente inconscientes) que hacemos para aumentar nuestra autoestima o protegerla de que disminuya en una emergencia. Hablamos bien de nosotros mismos Para ilustrar que las personas generalmente tienen una alta tendencia a evaluarse a sí mismas, lo ideal sería un ejemplo de un efecto mejor que el promedio. Este efecto aparece cuando se pide a las personas que se califiquen a sí mismas en comparación con los demás, con "la mayoría de las personas". Entonces resulta que la mayoría de las personas se evalúan a sí mismas como mejores conductores que la mayoría, personas más amigables y con un sentido del humor superior a la media. Por supuesto, existe una paradoja en la que la mayoría de la gente no puede ser mejor que la mayoría de la gente. Curiosamente, los profesores son maestros en este campo: hasta el 94% de ellos (según la investigación de Cross) se consideran dotados con una capacidad superior a la media para transferir conocimientos a los estudiantes. Te lo explicamos para que nos caiga buena luz Estas actividades a menudo se denominan simplemente "excusas". Muy a menudo se trata de buscar en el exterior la causa del fracaso (por ejemplo, no aprobé el examen porque las preguntas eran correctas).e sesgado, no porque no estudié). Podemos explicar cada resultado obtenido en cualquier campo de muchas formas. Ellos pueden ser: Global (más general) o específico (más detallado) Permanente (difícil de cambiar rápidamente) o variable (causas temporales) Interno (resultado de nosotros mismos) o externo (resultado de nuestro entorno) Estas opciones nos dan la oportunidad de explicar la situación de ocho formas diferentes. Tomemos, por ejemplo, la explicación de que no hay ascenso en el trabajo. Explicación global, permanente e interna: soy demasiado estúpido Explicación específica, variable y externa: el jefe se puso de pie con la pierna izquierda Explicar las causas internas aumenta las reacciones emocionales (nos sentimos más responsables). Las causas permanentes, más que las variables, influyen en nuestras expectativas para el futuro (el fracaso explicado por una causa permanente influirá en la expectativa de un fracaso similar en el futuro). La causa global, sin embargo, afecta el alcance de nuestras expectativas en el futuro (las causas globales se extenderán a más áreas). Por nuestra autoestima y bienestar, a La explicación pesimista, es decir, la búsqueda de causas globales, permanentes e internas, es la más dañina. Incluso puede ser un factor de riesgo de depresión a largo plazo. Su opuesto es el egoísmo atributivo, es decir, una situación en la que explicamos los éxitos más internamente y los fracasos más bien externamente. Nos gloriamos en la gloria de otra persona. Flotar en la gloria de otra persona (también llamado "brillo de luz reflejada") implica participar en los efectos positivos y sentir emociones positivas después del éxito de otra persona. Un ejemplo perfecto es un estudio de Robert Cialdini y su equipo. Se examinó el comportamiento de los estudiantes de una universidad en particular en función del éxito o el fracaso del equipo de fútbol de la universidad. Se observó con mayor frecuencia ponerse camisetas universitarias y la expresión de primera persona del plural ("ganamos") después de un partido exitoso. Sin embargo, después de que el partido terminó en derrota, no se notó tal comportamiento, e incluso se vio la narrativa opuesta ("perdieron"). El efecto de nadar en la gloria de otra persona es cuanto más fuerte, más exitosa es esta persona o grupo de personas en cuya gloria tenemos que nadar, y más fuerte cuanto más cerca estamos de esta persona o grupo de personas. Así, por ejemplo, sentiremos los efectos positivos del hecho de que nuestra hermana haya recibido un premio de prestigio que si fuera una prima lejana. Nos alejamos de las personas exitosas en nuestro campo. A pesar del fenómeno del tercer punto, los éxitos pueden amenazar nuestra evaluación, en lugar de aumentarla. Esto sucede cuando los éxitos de otras personas se relacionan con un campo que es importante para nosotros (porque comenzamos a comparar nuestros resultados con los resultados de una persona determinada, y cuando esa persona logra mejores resultados, existe una seria amenaza para nuestra autoestima). En esta situación, básicamente tenemos dos formas sencillas de proteger nuestra autoestima: podemos alejarnos de la persona o intentar reducir el valor del campo. Si la cercanía es amenazante, porque la otra persona tiene éxito en el campo en el que nos gustaría lograr resultados impresionantes, la forma de evitar comparaciones adversas será la pérdida de cercanía. El investigador Tesser ha demostrado en su investigación que incluso los hermanos son particularmente cercanos cuando cada uno de ellos se involucra y tiene éxito en diferentes áreas (por ejemplo, uno logra éxitos deportivos y el otro científico o artístico). Si un hermano o hermana está involucrado en el mismo campo, la cercanía emocional que se siente entre ellosdisminuye. Estamos cambiando el campo en el que nos hemos superado Si sucede que un ser querido logra mejores resultados que el nuestro, es mejor (para nuestra autoestima) que este campo se vuelva menos importante para nosotros, porque entonces los éxitos de esta persona no solo detendrán las amenazas a nuestra autoestima sino incluso lo aumentará gracias a "jugar en la gloria de otra persona" (ver punto tres). Sin embargo, cuando es al revés, cuando nuestros resultados son más altos en un campo dado que los resultados de las personas cercanas a nosotros, entonces es mejor pensar en el campo dado como muy importante, gracias a lo cual nuestra autoestima y se mantendrá la cercanía con una persona determinada. afirmar Las afirmaciones son frases de las que "hablamos entre nosotros" para convencernos de nosotros mismos. A través de lo que nos decimos, intentamos convencernos del valor de nosotros mismos como buena persona, internamente coherente, capaz de tomar decisiones libres, controlar eventos importantes, etc. Tal confirmación no se produce en absoluto de una manera generalizada en Internet (por ejemplo, repitiéndome al espejo "Soy un ganador"), pero es más suave y puede tomar muchas formas. Un ejemplo será expresar (contar) los valores con los que nos identificamos y que son importantes para nosotros (por ejemplo, actividades proecológicas). Compensar La compensación en el contexto de la autoestima se denomina acciones rápidas e inmediatas destinadas a aumentar la autoestima momentánea. La mayoría de las veces podemos observar: rechazo de información que amenaza nuestra autoevaluación (por ejemplo, decir que la persona que nos evalúa es incompetente o que la prueba fue parcial) redirigir la atención a otras áreas (por ejemplo, comparaciones de "ahorro"). La reacción opuesta a la compensación es un colapso en la autoestima, es decir, simplemente disminuirla debido a alguna información amenazante. Nos reparamos La última de las posibilidades que automáticamente hacemos para mantener nuestra autoestima en buenas condiciones es simplemente la autoreparación. Entonces, en una situación en la que comenzamos a sentir que nuestros resultados son, por ejemplo, peores que los resultados de nuestros seres queridos, nos esforzamos mucho para aumentar el nivel de resultados alcanzados. A menudo pensamos de forma ilusoria que esta debería ser nuestra reacción. Especialmente a menudo, los padres comparan a sus hijos con otros para "motivarlos" a reaccionar a sí mismos y mejorar sus resultados. Sin embargo, esta es una de las opciones más difíciles disponibles, por lo que es mucho más probable que al comparar a un niño con sus compañeros sea, por ejemplo, bajando la autoestima, repugnando a las personas con las que se ha comparado o perdiendo interés en el campo en el que fue comparado en absoluto. Autoevaluación y protección - tecnicas La autoestima fuerte y positiva es un signo de un enfoque saludable para ti mismo; después de todo, cada persona es valiosa y tiene algunas ventajas. A menudo, cuando buscamos formas de aumentar la autoestima, podemos encontrarnos con consejos como "no te compares con los demás", "aprecia tus éxitos", "cree en ti mismo"; desafortunadamente, en este caso, causas y efectos. esta confundido. Las personas con alta autoestima creen en sí mismas y aprecian sus éxitos, pero no será tan fácil para una persona insegura "creer en sí misma". Afortunadamente, existen técnicas mediante las cuales aprenderemos a notar los lados positivos de nuestras acciones. Tal entrenamiento introducirá este tipo de pensamiento en un hábito, lo que resultará en una alta autoestima. Es importante ser sistemático y elegir la técnica.s con los que se sentirá bien y que se adaptarán a usted. Si tiene problemas de baja autoestima durante mucho tiempo, no tenga miedo de reunirse con un especialista; un terapeuta experimentado lo ayudará a aprender las técnicas adecuadas para usted. Técnica 1: una lista de fortalezas Uno de los métodos más simples y más utilizados, perfecto para empezar. Se trata simplemente de crear una lista de sus puntos fuertes (en cada campo). Esto le permite acostumbrarse a hablar y pensar positivamente sobre sí mismo. Vale la pena mantener esta lista y volver a ella. Técnica 2: todo un frasco de éxito Para esta técnica, necesitará un frasco u otro recipiente, así como notas adhesivas y un bolígrafo. Cada vez que lo consigas, escríbelo en un papel, dóblalo y ponlo en el frasco. Es útil observar el número creciente de notas en el frasco. Además, en los momentos de dudas y de pensar "No lo logré", puedes sacar cartas y leerlas para demostrarte a ti mismo que es diferente. Técnica 3: diario de gratitud Esta técnica le permite practicar el hábito de darse cuenta de los aspectos positivos. Se trata de registrar de forma sistemática hechos y sentimientos positivos, solo todo aquello que evoca un estado de "gratitud". Gracias a este tipo de notas (idealmente si son de todos los días) aprenderás a "capturar" los éxitos de la vida cotidiana para recordarlos y luego guardarlos. Además, unos minutos de pensar en la categoría de gratitud ayudarán a tu bienestar. Un diario así será (como el frasco anterior) un salvavidas en momentos de duda y mal humor. Técnica 4: acepta un cumplido de ti mismo No necesita ningún material para realizar este ejercicio. Solo párate frente al espejo y di un cumplido. ¡Advertencia! Puede ser pequeño y aparentemente insignificante, pero es importante que sea honesto. Puede relacionarse con sus características (p. Ej., "Tengo un cabello bonito", "Soy gracioso") o ser un elogio por los logros (p. Ej., "Hoy hice una buena acción", "Fui al gimnasio aunque no quería para"). Técnica 5: Celebre sus éxitos Esta técnica se trata de aprender a celebrar tus logros, lo que contribuye a prestarles más atención y, en consecuencia, a fortalecer la autoestima. Recompénsese dentro de sus capacidades: los pequeños placeres son suficientes. Técnica 6: Corrija lo que le molesta Es importante establecer un nivel realista para mejorar sus defectos reales. Este método es difícil, pero la satisfacción resultante de estos logros tendrá un reflejo fuerte y duradero en la autoevaluación (¡recuerda recompensarte por los logros!). Técnica 7: No generalices, el diablo está en los detalles Este método es ad hoc: es útil en momentos del llamado "agujero" cuando se siente extremadamente inseguro. Intente analizar la situación que amenaza su autoevaluación con el mayor detalle posible. Cuando comienzas con las palabras "No tengo esperanza", en realidad son muy deprimentes, pero en realidad no contienen ninguna información. Volver a redactar estas palabras y agregar detalles (por ejemplo, "Fallé, tuve que terminar el proyecto para trabajar hoy, pero juzgué mal mis opciones y tendré que pedir posponer la fecha límite una semana") reducirá el carácter emocional y aumentará el posibilidad de encontrar una solución o aprender para el futuro. Técnica 8: Organiza tu entorno La forma en que nos miramos a nosotros mismos tiene un gran impacto en cómo nos miran nuestros seres queridos. Tenga en cuenta si hay personas a su alrededor que desacreditan sus logros y lo "derriban". Si es así, intente hablar conesa persona o incluso limitar el contacto con ellos. También recuerde que si alguien lo evalúa de alguna manera, no tiene por qué ser cierto. Si alguien te llama silla, eso no significa que lo seas, ¿verdad? Del mismo modo, no tienes que creer si alguien te llama perezoso, estúpido o poco atractivo. Apoyar la autoestima positiva en los niños La autoestima está muy influenciada por la experiencia, incluso en la infancia. Si nota signos de baja autoestima en su hijo, vale la pena reaccionar ahora y enseñar es agradarle a su hijo (esta habilidad le será útil durante toda su vida). ¿Cómo apoyar el desarrollo de la autoestima en un niño? No compare a un niño con otros, porque aprenderá a hacer lo mismo (y esta es una forma sencilla de reducir la autoestima) Brinde al niño tantas oportunidades como sea posible para mostrar independencia y tomar sus propias decisiones; incluso la posibilidad de elegir la ropa o los cuentos de hadas para ver por sí mismos le permitirá al niño desarrollar un sentido de control interno sobre su vida. Aprecie a su hijo: observe sus éxitos, elogie su esfuerzo y creatividad Celebre los éxitos con su hijo, pero no establezca precios por adelantado (prometer, por ejemplo, un regalo por una buena calificación, puede hacer que su hijo aprenda premios, no por motivación interna). De vez en cuando (o con mayores logros) lleve al niño a tomar un helado y dígale claramente que se merecía su éxito. Dele tiempo y atención a su hijo, trate de mostrarle que sus problemas también son importantes (evite vender y disminuir sus problemas, por ejemplo, decir que los problemas reales solo comenzarán en la edad adulta) Técnicas: juegos para fortalecer la autoestima en un niño: Yo soy ORGULLOSO Para llevar a cabo esta técnica, necesita una tabla (por ejemplo, una tabla de corcho); lo mejor es que cuelgue permanentemente en la habitación del niño. Permítale adjuntar sistemáticamente sus éxitos al tablero (por ejemplo, en forma de dibujos o algo que esté asociado con un éxito dado). ANUNCIO PUBLICITARIO En este juego, se supone que el niño se anuncia a sí mismo, por ejemplo, como un buen amigo, una gran hija o un nieto querido. MANOS En este juego, el niño y otro participante o participantes (pueden ser sus amigos, hermanos, padres, etc.) recortan dos manos de papel. Todos tienen la tarea de escribir sus cinco fortalezas en una de sus manos (en cada dedo) y luego tomar la mano de la otra persona y escribir las cinco fortalezas de la persona. Vale la pena conservar estas manos (puedes sujetarlas e tablero desde el primer punto). Además de fortalecer la conciencia de las buenas cualidades de su hijo, estos juegos también son una oportunidad ideal para observar cómo piensa el niño sobre sí mismo y en qué nivel se encuentra actualmente su autoestima.

CAPITULO CINCO Llaves a generar y mantener una actitud mental positiva Una actitud mental positiva nos permite marcar la diferencia, lo que hizo Cervantes con su novela, que ha dejado huella en la historia y es una de las grandes obras de la humanidad, dejando para siempre un pequeño hueco en la esperanza en medio de tanto realismo y pesimismo. Las claves para tener una actitud mental positiva Esta última situación, la pequeña rendija de la esperanza, puede ser un punto de luz que nos permita frenar el autosabotaje y quejarnos por la pérdida de oportunidades: esta luz puede ayudarnos a encontrar soluciones y a sacar el mayor provecho posible. Ser positivo no significa tener que ser feliz y divertido en cualquier momento del día. No podemos ser felices en todo momento, pero no debemos ser infelices continuamente. Por tanto, es importante no darse por vencido, to mantener la esperanza, ver el vaso medio lleno y no enfocar el punto negro en medio de una hoja en blanco. Sin embargo, para adoptar esta actitud, es importante saber cómo hacerlo. Por eso te ofrecemos estas pocas claves. Si tenemos la mentalidad adecuada y cierta capacidad para gestionar nuestros pensamientos y atención, no nos será difícil adoptar una actitud positiva que nos permita ver el mundo con una mirada menos pesimista. . No confundas pesimismo y realismo El psicólogo Arturo Torres nos ofrece una serie de claves para instalar una actitud mental positiva en nuestra forma de vida. El primero, en relación con lo que dijimos en el párrafo anterior, está relacionado con el realismo, que de ninguna manera debe agregar un tono de pesimismo. "Vence a ti mismo de la tristeza y la melancolía. La vida es amable, tiene unos días y hay que disfrutarla ahora". -Federico García Lorca- Cuando todo parece desmoronarse a nuestro alrededor, la realidad parece ser aún más siniestra y negativa. Sin embargo, si permitimos que el malestar inunde cada uno de nuestros pensamientos, todo lo que nos rodea eventualmente adquirirá este color en nuestros ojos, aunque no sea realmente el caso. Por tanto, deformar y desfigurar es una trampa que nos tendemos a nosotros mismos. Busque metas concretas El realismo no es sinónimo de pesimismo, ilusiones y sueños imposibles. Tenemos en nuestras manos el poder de marcar un camino lleno de metas concretas que pueden ser alcanzables. Así, llegar a uno sería motivo de alegría y felicidad y este último sería el combustible que nos ayudaría a avanzar hacia el siguiente, con más fuerza y envidia. En otras palabras, al actuar mentalmente de esta manera, obtendremos una fuente de motivación muy poderosa. Rodéate de gente positiva Por supuesto, el séquito es una base. Si las personas que están a nuestro lado comparten una actitud positiva, lograremos más fácilmente un espíritu de alegría y optimismo. Así es como la comitiva consigue estimularnos y motivarnos. En el caso contrario, por supuesto, el resultado será diametralmente opuesto. Busque proyectos a largo plazo Establecer metas alcanzables es algo bueno, pero lograrlas debe llevarnos a alguna parte. Hacia proyectos a largo plazo. Una serie de metas simples y unidas dan vida a un propósito mucho mayor, la finalidad de nuestra vida. Piense en lo que quiere construir y conviértalo en realidad. Dale una lógica o un trasfondo al aquí y ahora. Asegúrese de que lo que va a hacer lo ayude a avanzar hacia metas más grandes, a menudo trascendentes, como el desarrollo personal. Un ahora bien marcado ya es un gran pilar para la felicidad y el bienestar futuros.

CAPITULO SEIS ¿Qué le sucede a tu cerebro cuando participas en una conversación positiva? Pocas actividades pueden llenarnos de un nivel de energía sonora tan alto como las conversaciones positivas. Son diálogos en los que se sienten escuchados y quieren escucharse unos a otros. Las palabras hacen "clic" y mienten. Dicen mucho y su eco se convierte en una sombra: amable y alegre. Este tipo de conversación es un auténtico bálsamo de por vida. También está sucediendo lo contrario. Cuando hablas, sientes que no te entendemos; se sienten molestos por tener que escucharse unos a otros. Hay mensajes negativos entre líneas. A veces también hay agresión directa. Estos encuentros sólo te dejan irritado y con cierta amargura. Todos sabemos por experiencia que una conversación positiva es un regalo maravilloso. La novedad es que la ciencia lo ha confirmado a través de diferentes estudios. Lo que se ha demostrado es que un diálogo constructivo tiene la capacidad de modificarciertos patrones cerebrales. La contribución de este tipo de conversación también se refleja en la neuroquímica. "Uno busca a alguien que le ayude a dar a luz sus pensamientos, otro busca a alguien que le ayude: así surge una buena conversación" -Friedrich Wilhelm Nietzsche- Una búsqueda de palabras Mark Waldman y Andrew Newberg son dos investigadores del comportamiento humano. El primero es profesor de comunicación y miembro del Programa Ejecutivo de MBA de la Universidad de California. El segundo es el director del Centro Myrna Brind de Medicina Integrativa de la Universidad Thomas Jefferson. Ambos hicieron una extensa investigación y escribieron un libro llamado "Las palabras pueden cambiar su cerebro". Las investigaciones de estos dos expertos contienen datos muy interesantes sobre palabras y conversaciones positivas. Descubrieron, por ejemplo, que la palabra "no" activa la producción de cortisol. Esta última es la hormona del estrés. Esto nos pone en estado de alerta y debilita nuestras capacidades cognitivas. Por el contrario, la palabra "sí" provoca la liberación de dopamina. Esta es una hormona cerebral que regula los mecanismos de gratificación. Ayuda a producir una sensación de bienestar. También refuerza la actitud positiva en la comunicación. Palabras y conversación positiva El tema de las palabras "sí" y "no" es sólo una pequeña parte de la investigación realizada por Waldman y Newberg. A través de diferentes experimentos, lograron demostrar científicamente que las palabras cambian nuestro cerebro. Por supuesto, conversación positiva o negativa también. De hecho, se dieron cuenta de que algunas personas usan palabras que tienen efectos negativos en el cerebro. Otros, por otro lado, usan palabras más constructivas. En ambos casos, se hace consciente de las consecuencias que ello implica. Lo cierto es que la gente deja sensaciones distintas en sus interlocutores. Conversación positiva y comunicación compasiva. Waldman y Newberg han desarrollado un concepto que ya está en auge. Lo llaman "comunicación compasiva". Se refiere a este tipo de comunicación en la que lo más importante es el respeto a los demás y la sinceridad. Es solo el tipo de comunicación que tiene lugar cuando te involucras en una conversación positiva. Los investigadores también descubrieron uno de los ingredientes cognitivos que caracterizan una conversación positiva. La gente comprende mejor cuando las ideas están separadas y no más de cuatro a la vez. En otras palabras, hay una mayor garantía de comprensión cuando no se tratan varios temas al mismo tiempo. Las secuencias no deben incluir más de cuatro sujetos. Además, se requiere un período de tiempo de 30 a 40 segundos para pasar de un tema a otro. Waldman y Newberg también descubrieron que algunas palabras tienen un impacto profundo en las personas. Clásicamente las palabras pobreza, enfermedad, soledad o muerte. Tales expresiones afectan la amígdala y facilitan el desarrollo de pensamientos negativos. Por otro lado, también descubrieron que el efecto que producen c debería ser matizado. Es suficiente que estas palabras no estén al principio o al final de una oración. Dado que es imposible eliminar las palabras negativas de la vida, conviene compensarlas con palabras positivas. Lo mismo ocurre con las conversaciones. Cuando una interacción ha sido negativa, debe compensarse con una conversación positiva. Esto equilibra no solo la interacción, sino también la química cerebral.

CAPITULO SIETE Técnicas cognitivo-conductuales para luchar contra los pensamientos intrusivos Técnica cognitivo-conductualLos s son muy útiles para eliminar el poder de los pensamientos intrusivos. Aquellos que invaden nuestra mente hasta que nos llenamos de su niebla tóxica, negativa y casi siempre invalidante. Por lo tanto, antes de intensificar aún más nuestra ansiedad y derivar hacia un deterioro cognitivo inútil, aplicar estas sencillas estrategias a diario siempre será de gran ayuda. Aquellos que nunca han oído hablar de la terapia cognitivo-conductual estarán interesados en saber que esta es una de las "cajas de herramientas" más utilizadas en la práctica habitual de cualquier psicólogo. Uno de los pioneros en este tipo de estrategias ha sido sin duda Aaron Beck quien, después de haber utilizado el psicoanálisis durante varios años, se dio cuenta de la necesidad de otro punto de vista. La mayoría de las personas que estaban sufriendo depresión, ansiedad, estrés o lidiando con algún tipo de trauma tenían en ellas un segundo "yo" obsesivo, negativo e insistente que las sumergía en el diálogo negativo continuo que no conduce a grandes avances. Tal fue el interés del Dr. Beck. Buscó comprender y resolver este tipo de dinámicas y cambió su línea terapéutica por una mucho más útil. Las técnicas cognitivo-conductuales han sido increíblemente efectivas en la práctica clínica. De esta forma, si cambiamos gradualmente nuestros patrones de pensamiento, reduciremos la carga emocional negativa que muchas veces nos paraliza para que finalmente podamos generar cambios y hacer que nuestros comportamientos sean más saludables. Técnicas cognitivas conductuales para pensamientos intrusivos Tener pensamientos obsesivos y negativos es una de nuestras mayores fuentes de sufrimiento. Es una forma de intensificar aún más el ciclo de ansiedad, de mantener el pozo que nos atrapa mientras nos rodeamos de imágenes, impulsos y razonamientos poco útiles que nos privan por completo de nuestra sensación de control. En este caso, de nada sirve escuchar "cálmate y no pienses en cosas que aún no han pasado". Nos guste o no, la mente es un tejido incesante de ideas y, lamentablemente, lo que produce no siempre es bueno y no siempre nos ayuda a conseguir metas o sentirnos mejor. A pesar de todo, y también hay que decirlo, todos tenemos, al fin y al cabo, ideas bastante absurdas e inútiles: sin embargo, en condiciones normales, no damos mucha importancia a estos razonamientos porque preferimos priorizar aquellos. que nos motivan y que nos son útiles. Cuando estamos atravesando periodos de estrés o ansiedad, es común que los

pensamientos intrusivos aparezcan con mayor frecuencia y que les den el poder que no merecen. Ahora veamos qué técnicas cognitivo-conductuales nos pueden ayudar en estos casos. Registros de pensamiento Los registros de pensamiento nos permiten aplicar la lógica a una gran cantidad de procesos mentales. Por ejemplo, considere a un empleado que tiene miedo de perder su trabajo. De la noche a la mañana, empieza a pensar obsesivamente que sus jefes o el equipo directivo están convencidos de que todo lo que hace está mal, mal o le falta calidad. Entrar en este ciclo de pensamiento puede terminar provocando una profecía autocumplida. Es decir, al pensar que todo lo que hace está mal hecho, tarde o temprano acabará haciéndolo (por ejemplo, cayendo en un estado de ánimo muy negativo). Así, para tener una mayor sensación de control, equilibrio y coherencia, nada mejor que registrar los pensamientos que nos paralizan. Para eso, basta con anotar cada idea negativa que aparece en nuestra mente y tratar de pensar en su veracidad o no. "Estoy seguro de que todo lo que hice en el trabajo fue inútil" -> ¿Hayalgo que demuestre que esto es cierto? ¿Me han informado de algo? ¿Lo que hice hoy es diferente a lo que hice los otros días para pensar que es de mala calidad? Programación de actividades positivas Otro de los cognitivos conductual Una técnica útil en estos casos es programar actividades gratificantes a lo largo del día. Algo tan simple como brindar tiempo de calidad puede conducir a resultados muy positivos y nos permitirá romper el ciclo de rumiar pensamientos negativos. Estas actividades pueden ser muy sencillas y efímeras: salir a tomar un café con un amigo, dejarnos descansar, comprar un libro, preparar una buena comida, escuchar música, etc. La jerarquía de mis preocupaciones Los pensamientos intrusivos son como el humo de una chimenea, el calor de algo que arde en nosotros. Esta pira interna representa nuestros problemas, esos que no encontramos soluciones y que, día a día, creamos más malestar. Un primer paso para controlar esta fuente de pensamientos, sentimientos y ansiedades es aclarar las cosas. ¿Y cómo los aclaramos? Haciendo una jerarquía de problemas, una escala de preocupaciones que irá del más pequeño al más grande. Empezaremos escribiendo en una hoja todo lo que nos concierne, es decir, que "visualizaremos" todo el caos que hay en nosotros como una tormenta de ideas. Luego haremos una jerarquía comenzando con los problemas que consideraremos menores hasta llegar a los más paralizantes. El que, en apariencia, nos domina. Una vez que tengamos un orden visual, intentaremos pensar en cada punto, para racionalizar y encontrar una solución en cada nivel. Razonamiento emocional El razonamiento emocional es un tipo de distorsión muy común. Por ejemplo, si tuve un mal día y me siento frustrado, es que la vida, simplemente, no es más que un túnel sin fin. Otra idea común es pensar que si alguien me decepciona, me engaña o me abandona es porque no merezco ser amado. Esta es una de las otras técnicas cognitivo-conductuales muy útiles que debemos aprender a desarrollar a diario. No podemos olvidar que nuestras emociones puntuales no siempre indican una verdad objetiva: son solo estados mentales momentáneos los que debemos lograr comprender y manejar. "Si nuestros pensamientos permanecen estancados debido a significados simbólicos sesgados, razonamientos ilógicos y malas interpretaciones, en verdad, nos volvemos ciegos y sordos". -Aaron Beck- Prevención de pensamientos intrusivos Nos guste o no, siempre hay situaciones que nos hacen volver a caer en el abismo de nuestros pensamientos intrusivos. Una forma de estar alerta a estas circunstancias es llevar un diario para hacer registros. Algo tan simple como escribir nuestros sentimientos a diario, anotar lo que pasa por nuestra cabeza o cuando surgen estos estados y dinámicas internas nos permitirá tomar conciencia de ciertas cosas. Puede haber personas, hábitos o escenarios que nos hagan perder el control, sentimientos de vulnerabilidad, preocupación o enfado.

CAPITULO OCHO ¿Cómo tener una actitud positiva en el trabajo? A veces es difícil tener una actitud positiva hacia el trabajo, aunque nos agrade mucho. Nada alcanza la medida de nuestras necesidades. Nos encontramos con situaciones en las que el entorno de trabajo se vuelve pesado, donde un nuevo líder imprime un nivel de exigencias que conduce al estrés. Por otro lado, obviamente hay momentos en los que la actividad se convierte en rutina y en los que contamos los minutos restantes para terminar nuestro día. La actitud positiva hacia el trabajo se refiere a una actitud optimista y entusiasta dirigida no solo hacia nuestra actividad laboral sino también hacia todas las personas.e involucrados en ella. Cultivar esta actitud nos ayuda mucho ya que contribuye decisivamente a hacer agradable nuestro trabajo. Asimismo, significa que los períodos de crisis no se viven de manera severa. Pasamos gran parte de nuestra vida trabajando. A veces dedicamos más tiempo a esto que a nuestros seres queridos u otras actividades que nos apasionan. Por lo tanto, nuestro personal de bienestar depende en gran medida de la experiencia laboral. Por lo tanto, vale la pena intentar construir y mantener una actitud positiva en el trabajo. ¿Cómo lograrlo? Veamos algunos consejos que nos pueden ayudar. Incrementar la calidad para fomentar una actitud positiva en el trabajo. Una de las cosas que más nos motiva y nos ayuda a desarrollar una actitud positiva es saber que estamos haciendo bien nuestro trabajo. Y más aún cuando vemos los resultados y nos damos cuenta de que estamos evolucionando. Para mejorar las cosas, es importante tener en cuenta los siguientes aspectos: Comprender cuáles son los requisitos y habilidades que requiere el trabajo y esforzarse por adaptarse. Busque métodos para realizar nuestras tareas de manera más eficiente Proponer metas ambiciosas. No solo darse cuenta, sino también identificar cuál es el siguiente paso en la evolución del trabajo. Conocer la empresa, identificar sus políticas, filosofía y estructura Si creemos que el trabajo es una forma de ser mejores, será más fácil adoptar una actitud positiva. Una gran parte de las actitudes negativas surgen cuando percibimos que lo que estamos haciendo no merece la pena o que estamos estancados. Desarrollar comportamientos positivos y proactivos. Incluso en los trabajos más aislados, siempre hay un momento en el que necesitamos conectarnos o coordinar el trabajo con otros. Por eso, no solo es necesario cultivar una actitud positiva hacia las tareas que realizamos, sino también hacia las personas con las que trabajamos en equipo. Los siguientes comportamientos y valores nos ayudarán a lograrlo: Ser responsable y puntual. Las personas que muestran apatía o falta de seriedad en sus actividades y horarios generan cierta incomodidad en el trabajo por su comportamiento Cortesía sobre todo. Las palabras y los gestos amables son la base de una buena relación Honestidad. Intentar demostrar algo que no somos, mentir o no admitir nuestros errores es algo que, a la larga, es muy perjudicial para la relación laboral. Aprenda a manejar el conflicto. Siempre habrá diferencias de opinión, pero esto no debería convertirse en un conflicto. En particular, es necesario aprender a expresar los desacuerdos, sin dañar ni herir a nadie. Cuando el ambiente laboral es positivo, la motivación aumenta automáticamente. Si logramos cultivar buenas relaciones, no tendremos ganas de trabajar con compañeros anónimos, sino de compartir con colaboradores con los que tenemos una causa común.

CAPITULO NUEVE Motivación La palabra 'motivación' proviene del latín (latín moveo, movere) y significa 'poner en movimiento', 'empujar', 'mover' y 'llevar'. El término "motivación" es como un grupo de dos palabras: tema + acción, por lo que para actuar, necesitas una meta. El psicólogo estadounidense Robert Woodworth es considerado el creador formal del concepto de motivación, mientras que en el ámbito de la investigación empírica, Edward Tolman, es el autor del conductismo intencionado. Cuando se habla de motivación, normalmente se piensa en las causas de todas las acciones, necesidades, impulsos y motivaciones de comportamiento . Motivación - características No existe una definición clara de motivación. Hay un montón de diferentes enfoques teóricos y definiciones en psicología. En términos generales, la definición de motivación en psicología dice que la motivación es ladefinición de todos los procesos involucrados en el inicio, dirección y mantenimiento de la actividad humana física y mental. Las formas de motivación son diferentes, pero todas incluyen procesos mentales que estimulan, permiten la elección y la conducta directa. La motivación explica la perseverancia, a pesar de la adversidad. En psicología, el concepto de "pulsión" se usa generalmente para describir la motivación que resulta más bien de las necesidades biológicas, enfatizando su importancia para la supervivencia y la procreación. El proceso motivacional consiste en generar un estado interno de disposición para actuar, estimular la energía, dirigir el esfuerzo hacia la meta, selectividad de la atención (ignorando los estímulos irrelevantes y focalizando los aspectos más importantes de la situación), organizando reacciones en el patrón integrado y actividades continuas hasta que cambien las condiciones. Motivación - tipos La tipología de la motivación se puede distinguir en psicología. La división básica tiene en cuenta motivos (metas conscientes) e impulsos (necesidades biológicas). A continuación se muestran otras clasificaciones de procesos de incentivos: Motivación interna - un individuo se involucra en la acción por la acción misma en ausencia de una recompensa externa. Este tipo de motivación tiene su origen en las características internas del hombre, p. Ej. rasgos de personalidad, intereses y deseos especiales. El concepto de motivación interna a menudo se entiende como automotivación, es decir, motivarse a uno mismo. Motivación externa - una persona se compromete a realizar una tarea para obtener recompensas o evitar el castigo, es decir, para "beneficios externos", p. en forma de dinero, elogios, promoción en el trabajo, mejores calificaciones en la escuela. La autodisciplina no está dictada por la eliminación de la tensión interna. Motivación consciente - el hombre es consciente de ello y puede controlarlo. Motivación inconsciente - no aparece en la conciencia. El hombre no sabe qué subyace a su comportamiento. Se enfatiza la importancia de la motivación inconsciente z ed por la teoría psicoanalítica de Sigmund Freud. Motivación positiva (positiva) - se basa en refuerzos positivos (recompensas) y se asocia con la "búsqueda de". Motivación negativa (negativa) - se basa en refuerzos negativos (castigos) y se asocia con la evitación y, por tanto, la conducta de "persecución de". Motivación - en el trabajo La motivación en el trabajo es un aspecto fundamental del desarrollo de nuestra vida laboral. Aunque inicialmente este es un elemento que debe estar presente, la realidad es que en muchos casos no lo está. Afortunadamente, la buena noticia en estos casos es que hablamos de una situación psicológica que se puede mejorar si hacemos algunos cambios. Pensemos que nuestras emociones están íntimamente ligadas al desarrollo de las funciones laborales; emociones que, a su vez, también están estrechamente ligadas a la motivación. Además, y lamentablemente, existe un alto porcentaje de trabajadores que no están satisfechos con el trabajo que realizan, y este es sin duda uno de los factores que más penalizan. z e su motivación en el trabajo. Técnicas de motivación en el trabajo Utilizar técnicas de motivación laboral permanente nos permitirá conocer qué tipo de puestos nos gustan más, cómo podemos adaptar nuestro trabajo actual a nuestros gustos y cómo hacer que quienes trabajan con nosotros se sientan motivados por sus tareas. 1. Inserte correctamente al trabajador en su posición La C La correcta inserción del trabajador en su lugar de trabajo implica la ubicación ideal de acuerdo con sus conocimientos y habilidades. Los valores más apreciados son la confianza y la autonomía en el trabajo. Esta autonomía aporta una mayor implicación, compromiso, autoevaluación, y estimula las habilidades para encontrar soluciones a los problemas cotidianos. Además, al aplicar este principio, le estamos dando un lugar al trabajador y creando un ambiente emocional que favorece su desarrollo. 2. Establezca un buen plan de riesgos laborales La planificación de riesgos laborales y la promoción de la salud deben formar parte de la empresa, no como acciones externas, sino como parte de un enfoque basado en el confort y la reducción de los niveles de estrés, sin descuidar la higiene y otros factores más directos. y participan en la protección de riesgos. Con este principio, cuidamos la salud y seguridad del trabajador, creando un ambiente físico seguro y confortable para el desarrollo de sus funciones. 3. Aplicar reconocimientos e incentivos Uno de los factores que la psicología atribuye a la buena autoestima, una mayor capacidad para ofrecer lo mejor de nosotros mismos y amar lo que hacemos es el reconocimiento: como seres sociales, necesitamos que los demás nos validen, nos reconozcan y reconozcan el producto de nuestro esfuerzo. Por eso, es importante reconocer el trabajo bien hecho, tanto individualmente como en grupo. Por otro lado, los incentivos bien utilizados (cuando se utilizan incorrectamente pueden tener el efecto contrario) pueden acelerar el desempeño del trabajador en determinadas responsabilidades laborales. Estos incentivos pueden no estar directamente relacionados con el aspecto económico: existen muchas ideas y soluciones al respecto, como bonificaciones, pases de eventos, la posibilidad de recibir una formación altamente especializada y diferenciada, etc. 4. Beneficios sociales del puesto Las prestaciones sociales consisten en que parte del salario del trabajador se traduzca en servicios gratuitos y prestaciones que le permitan afrontar las dificultades diarias: seguro médico y dental, seguro de vida, plan de pensiones, guardería, boleto de comida, ayudas escolares, etc. Muchas empresas, en los años de crisis, cuando los salarios permanecieron congelados, implementaron un sistema de prestaciones sociales para compensar la pérdida del status quo. Este tipo de ayuda es muy valorada por los trabajadores, especialmente en épocas de dificultades económicas cuando el acceso a los recursos es más limitado. 5. Acérquese a los empleados y colegas Un buen líder debe tener la proximidad necesaria para orientar a los trabajadores, y este rol implica preocupación por el bienestar personal de sus empleados. Este interés debe ser sincero, fruto de relaciones cultivadas desde la confianza y la cercanía. 6. Mejorar el desempeño profesional Lamentablemente, muchos trabajadores desarrollan su ocupación sin objetivos claros, sin las herramientas necesarias o con poca planificación y apoyo de la organización. Por lo tanto, preocuparse por lo que se necesita para obtener resultados, o simplemente preguntarse de vez en cuando qué podemos hacer para mejorar el espacio de trabajo o la efectividad del negocio, son acciones simples que mejoran el desempeño de otras personas. Motivación - automotivación ¿De dónde viene la automotivación, esa fuerza tan real y poderosa que nos hace hacer esfuerzos extraordinarios para lograr nuestros propósitos? ¿De dónde viene este sentimiento de habilidad? Nuestra voz interior es responsable. Esa voz, automotivación, ja s el poder de hacer cumplir las acciones cotidianas esenciales como trabajar, estudiar, caminar ... Nuestra mente s y nuestros pensamientos tienen la fuerza suficiente para darnos entusiasmo y alimentar la pasión que necesitamos para iniciar nuestras metas. Se estima que, en promedio, la mente procesa 60.000 pensamientos al día. Eso es alrededor de 40 pensamientos por minuto. Pensamos y reaccionamos mentalmente a las circunstancias o tiempos que vivimos en función de innumerables variables emocionales. Muchos de estos pensamientos pasan desapercibidos, y tratamos de mantener algunos que intentan escapar y otros quedesconocido ngly se convierte en parte de nuestra realidad. Empezamos desde muy pequeños a formarnos opiniones sobre nosotros mismos y el espacio que nos rodea. Las opiniones se convierten en ideas, juicios o conceptos que una persona tiene o construye sobre algo o alguien. Las opiniones son respetables; provienen de la diversidad de cada individuo. ¡Esto no significa que todas las opiniones sean ciertas! Objetivamente, es imposible adivinar esos 60.000 pensamientos de los que hablamos antes. Son solo juicios personales, sin garantía de validez. Muchos de estos pensamientos y opiniones nos ayudan a reflexionar, inspirar y dar forma a la automotivación. Otros nos sabotean quitándonos nuestro bienestar, convirtiéndose en factores que nos desmotivan. Auto-Motivación y Factores Motivadores Sin embargo, así como existen "factores desmotivadores", existen otros que nos motivan, impulsan y nos hacen sentir capaces. ¿Cómo crear este impulso para que influya positivamente en nuestro estado de ánimo? ¿Cómo hacer que nuestros "factores motivadores" tengan mayor peso? ¿Cómo nos sentimos capaces sin la necesidad de voces externas? Factores motivadores: 7 formas de motivarse Animémoslos a crear esta automotivación tan necesaria para enfrentar cualquier desafío que se proponga en la vida: Diálogo interior Para no aceptar ningún pensamiento como verdad absoluta, cree un diálogo interno saludable. Necesitamos saber diferenciar qué pensamientos nos ayudarán a alcanzar nuestras metas. Sí, al principio es difícil. Puedes crear un personaje imaginario, darle un nombre y dialogar con él. A veces tendrás que establecer límites, a veces calmarte ... pero con el tiempo puedes crear una amistad para toda la vida. Toma conciencia de tu estado de ánimo Vivimos dentro de nuestro espíritu, algunos más productivos y constructivos que otros. La autocompasión le ayudará a sobrellevar los momentos dolorosos, sabiendo que cuando decida tendrá herramientas para cambiarlos. Practica ejercicios que conecten tu mente y tu cuerpo, como el yoga o la atención plena. Pasar de las obligaciones a las decisiones Cuántos pensamientos comienzan con "tengo que"... Es hora de tomar una decisión y convertirla en un "yo lo haré". Haga una lista de estos "Tengo que..." y encontrará que muchos provienen de una rutina que usted mismo ha creado, de costumbres heredadas o de reglas que no son necesarias para su vida diaria. ¿Cuántos de estos "tengo que ..." es una decisión personal? Trabaja tus valores Los valores personales son convicciones profundas que determinan tu forma de ser y guían tu conducta. Cuando entran en acción y se comportan, son convincentes. Por cada "factor desmotivador" hay un valor personal que nos equilibra, nos fortalece. Crea una actitud de aprendizaje positiva Eres parte de este mundo. Si lo que queremos lograr es la automotivación, la búsqueda obsesiva de la perfección no ayuda a largo plazo. Así, una actitud positiva hacia el aprendizaje contempla el error como parte de su proceso. Aprendes y te adaptas. En el momento en que acepta sus imperfecciones, se da el primer paso hacia la excelencia. Excelencia laboral Cuando ejercitamos esta habilidad como un hábito, sentimos la satisfacción de lograr lo que queremos sin compararnos con los demás. No tienes que competir con nadie, porque la excelencia te hace cada día mejor. Con exigencia, pero también con comprensión. Confía y ten fe en ti Confía en ti, empieza poco a poco. No es porque en el pasado lo haya intentado y fallado que ahora no tendrá éxito. Ten fe, porque en cada momento actuamos lo mejor que podemos. ¡Cree en ti mismo! Recuerde una cosa importante: la automotivación viene de adentro; está construido on las fortalezas y virtudes que posee cada uno. No te rindas al primer intento, ni al segundo, ni al tercero ... Cada paso que des para demostrar que puede mejorar. No te subestimes. Los errores estarán presentes en tu vida; solo depende de usted convertirlos en un aprendizaje valioso. Mientras tenga ganas de convertirlos en fortalezas, el fracaso nunca existirá. La automotivación nace en el presente. Es en este mismo momento que la fe en tus posibilidades será la semilla para que esta frase de Abraham Lincoln sea parte de tu camino. ¿Cómo aumentar la motivación? La motivación es una condición indispensable para lograr nuestros objetivos. La motivación es th mi fuerza motriz que surge desde dentro y nos ayuda a resolver los obstáculos que podamos encontrar, a superarnos en nuestra tarea y lograr con éxito lo que nos proponemos. La motivación nos impulsa en una u otra dirección, según nuestras necesidades y objetivos. Sin embargo, el primer paso hacia el éxito es la fuerza de voluntad que dirigimos para lograr nuestras metas. Una vez que tenemos claro lo que queremos, la motivación nos ayuda a mantener un cierto equilibrio y a poner en marcha las acciones necesarias para el futuro. Hay diferentes tipos de motivación: motivación profesional, motivación personal, motivar a los demás, motivar a los estudiantes, etc. Pero la motivación que vamos a tratar aquí es el resultado de lo que realmente hay que hacer para motivar o motivar a alguien en cualquier situación. . Consejos para aumentar la motivación Positivismo Ser positivo es la mejor opción para motivar a los demás oa ti mismo. Es la mejor opción para seguir adelante y coger fuerzas de donde no tenemos. No todo será un lecho de rosas, y es mejor así. Esto nos obligará a ver el lado positivo de las cosas, a superarnos a nosotros mismos y a seguir el camino correcto. En lugar de quejarnos y centrarnos en lo que no nos gusta de una situación, centremos nuestra atención en lo positivo y en lo que podemos aprender de la experiencia por la que estamos pasando. Compromiso Lo que quieres lograr requiere un compromiso. Estamos hablando de algo serio. Si quieres lograr algo, comprométete de verdad, ¡pon una fecha! Si estamos motivando a alguien, avísele de este tipo de compromiso. Por lo general, tendemos a comprometernos con las palabras, pero no con las acciones. Nos volvemos vagos y relajados, lo que en consecuencia se manifiesta en la frustración de no conseguir lo que queríamos. Seamos serios sobre lo que queremos. Competencia La competencia, en el sentido estricto de la palabra, puede entenderse como superar a los demás a toda costa. Esto no es de lo que estamos hablando. Este tipo de competencia es una competencia amistosa, no para pisar a los demás, sino para ser la mejor versión de nosotros mismos. Es nuestro objetivo, no el objetivo de los demás. Ser el primero no significa ser el mejor. Ten eso en mente. Usa la competencia para apoyarte, para motivarte, para usarla como algo bueno. Las personas competitivas a menudo se vuelven egoístas, no ayudan a los demás y solo quieren superarlos. Aquí quieres superarte a ti mismo, no a los demás. Es o Lo único que le importa a usted y a su objetivo. Mantén esto muy claro. La importancia de un diario Esto no significa anotar lo que hizo durante el día, sino llevar un registro de su progreso y retrocesos. Un diario te ayudará a organizarte, conocer el siguiente paso, resolver problemas que han surgido y analizarlos para poner en práctica tu solución. Escribir tu objetivo y leerlo todos los días varias veces también puede ser un punto de apoyo. Ver meta Una clave para la motivación esvisualízate alcanzando tu meta. ¿Cómo te ves entonces? Como te sentirás Pensar en ello le ayudará a mantenerse motivado y no desanimado por los problemas que puedan surgir. Inspiración diaria La inspiración es muy importante para que el camino hacia tu objetivo dé frutos. No es necesario esperar a que aparezca de la nada; podemos conseguirlo! ¿En donde? En cualquier sitio. Siéntete receptivo para encontrar inspiración en cualquier cosa, lugar, evento... Disfrútalo. Recompénsate No todo es trabajo, trabajo y trabajo. Cuando alcances una meta, cuando puedas superar un obstáculo que te acerque a tu meta, respira y date una recompensa. Puede ser un pequeño descanso, algo que quisieras comprar, un pequeño viaje, lo que sea. Necesitas recompensarte por esas pequeñas cosas que obtienes. ¿Para qué? Para que la motivación no disminuya para que permanezcas activo y fuerte en tus propósitos. Estos son algunos de los pasos que debemos seguir para mantenernos motivados o motivar a alguien. Está claro que la lista es amplia y puede extenderse tanto como queramos. También es cierto que, dependiendo de tu personalidad, algunas cosas pueden funcionar y otras no. El amor como fuente de motivación y entusiasmo Sabemos que el amor lo cura todo, que el amor cura las heridas y crea nuevas visiones del futuro, pero... ¿qué pasa cuando amamos o nos sentimos amados? Cuando amamos a alguien y el otro se siente amado, se forma un sentimiento de aceptación y confianza que proporciona la motivación ideal para hacer nuestro mejor esfuerzo y ser mejores personas. El amor como fuente de motivación y entusiasmo nos hace mejores. Ser amados nos hace sentir seguros, creer en nosotros mismos y confiar en nuestro potencial. El amor incondicional genera en nosotros un motor, que abre puertas y posibilidades de expresión. Sentirse amado es un refuerzo que potencia nuestro bienestar ya que significa que alguien disfruta de nuestra compañía como somos. Por eso el amor nos invita a mostrarnos de manera sincera y auténtica. "El amor es el reconocimiento del potencial del amado y actúa como energía transformadora. La mirada y el amor del otro nos dan vida y nos ayudan a transformarnos. " -Elsa Punset- El amor nos da vida y nos hace brillar, el amor nos hace confiar y desarrollar nuestro potencial. Nos hace mejores y ayuda a que nuestras habilidades crezcan sin prejuicios y sin miedo a mostrarlas. No tiene por qué ser el amor entre parejas lo que nos revitaliza; por ejemplo, el amor que los padres muestran a sus hijos también les hace crecer con confianza y seguridad. El cerebro del que tiene y expresa amor Cuando amamos, generamos en el otro una maravillosa sensación de paz y seguridad. Esperamos lo mejor de los demás y confiamos en que nos responderán de la misma manera, sin proyectar miedos ni desconfianzas, solo nuestros mejores deseos y lo positivo que vemos en quienes apreciamos. Cuando ofrecemos amor, promovemos una buena autoestima gracias a la burbuja de calma y tranquilidad que creamos en este intercambio. ¿Qué sucede realmente en el cerebro cuando amamos? Gracias a técnicas de neuroimagen, Andreas Bartels y Semir Zeki de University College London realizaron un estudio en el que observaron la actividad cerebral de algunas personas cuando veían fotos de sus seres queridos y cuando veían fotos de sus amigos para que pudieran estudiar las diferencias. . Y compárelos. Descubrieron, gracias a esta técnica y a este estudio, que cuando nos enamoramos o amamos a nuestros hijos, desconectamos partes del cerebro relacionadas con otras emociones y, sobre todo, nuestra capacidad de crítica social. También notand que cuando miramos a nuestro amado, hay partes de la corteza prefrontal y ciertas áreas relacionadas con la agresión, el miedo o la planificación que se desconectan. Esto afecta nuestro juicio ya que tendemos a confiar más sobre y ser menos estrictos en nuestra evaluación social. Podríamos decir que nuestro cerebro está programado, cuando amamos, para ver el bien del otro. El amor como fuente de motivación para ser mejor Los científicos dicen que "el apego humano emplea un mecanismo que supera la distancia social desactivando los circuitos conectados a las emociones negativas y la evaluación social crítica, y une a los individuos a través del circuito de recompensa, lo que explica el poder del amor como fuente de motivación y entusiasmo". Por tanto, podemos decir que el amor nos hace mejores personas. El amor nos da la fuerza para afrontar nuevos retos ya que nos trae a nuestro lado una persona que confía en nosotros, que nos ayuda a mejorar nuestro potencial para seguir y luchar. Amando, tenemos la oportunidad de crear todo esto en el otro; por eso, cuando proyectamos nuestro amor, generamos los mejores sentimientos y lo mejor de nosotros en el otro. Ambas cosas fueron Amar y ser amado nos da la oportunidad de mejorar y desarrollar marcos de seguridad dentro de nosotros. Entonces, ¿a qué estás esperando para amar? El amor como fuente de motivación nos da la fuerza para afrontar nuevos retos.

CAPITULO DIEZ La psicología del perdón La psicología del perdón también es una forma de desapego. Se refiere a un acto de valentía mediante el cual las personas dejan de lado el rencor que las consume para aceptar lo sucedido y seguir adelante. También es una reestructuración del yo, una forma psicológica de reparar el sufrimiento, las emociones negativas y encontrar gradualmente la paz interior. Cuando buscamos bibliografías sobre la psicología del perdón, encontramos principalmente obras y documentos relacionados con el crecimiento personal, el estudio de la moral e incluso el mundo de la religión o la espiritualidad. Sin embargo, ¿existen estudios científicos sobre qué es el perdón, cómo hacerlo y qué se necesita para que nuestro equilibrio físico y emocional dé este paso? "El débil no puede perdonar. El perdón es un atributo de los fuertes. " - Mahatma Gandhi - Sí, existen algunos estudios sobre la psicología del perdón. De hecho, la "Asociación Americana de Psicología" tiene mucho trabajo e investigación sobre qué perdonar o no. Debido a que nuestras sociedades antiguas y actuales están llenas de conflictos a lo largo de su historia, no siempre han podido avanzar: una dimensión que a su vez es la clave de nuestro bienestar mental. Ciertamente, todos tenemos una espina puntiaguda, un relato pendiente de algún hecho de nuestro pasado que restringe nuestra felicidad presente, lo que disminuye nuestra capacidad para construir un presente mucho más satisfactorio. Todos, de alguna manera, mantenemos nuestra pequeña parte de resentimiento hacia algo o alguien que necesita curación ... Perdón por evitar el "desgaste" personal La mejor forma de ahondar en esta área de la psicología es diferenciar qué es el perdón y qué no lo es. Perdonar en primer lugar no significa decirnos que lo que sucedió en un momento dado fue bueno si no lo fue. Tampoco significa "aceptar" o reconciliarse con la persona que nos ha hecho daño; y mucho menos obligarnos a vivir con ella o sentir lástima por ella. De hecho, la psicología del perdón nos ofrece las estrategias adecuadas para que demos los siguientes pasos: Acepta que las cosas pasaron de esta manera en particular . Nada de lo que sucedió en este momento particular del pasado puede cambiarse. Por eso, debemos dejar de pensar, perder energía, coraje y salud, preguntándonos cómo las cosaspodría haber sucedido si hubiéramos actuado de otra manera. "Perdonar es aprender dejar ir reinventar un nuevo yo que se apodere del pasado pero que tenga la fuerza para disfrutar del regalo. A su vez, la psicología del perdón nos dice que no estamos obligados a comprender o aceptar los valores o pensamientos de la persona que nos ha hecho daño. El perdón no es ofrecer clemencia ni buscar justificación por lo que sufrimos. Nunca debemos perder nuestra dignidad. Es necesario facilitar el dolor del resentimiento. , para "soltar" la ira, la intensidad de la desesperación y el bloqueo que nos impide respirar ... Para ello, debemos dejar de odiar a quienes nos han hecho daño. Por otro lado, hay un aspecto importante que a menudo olvidamos. El perdón es la base de cualquier relación, ya sea doble, de amistad, etc. Recuerda que no todo el mundo ve las cosas de la misma forma; De hecho, hay varias percepciones, enfoques y opiniones. En ocasiones asumimos determinados comportamientos como atropellos o actos de desprecio cuando lo que se esconde detrás es una simple intolerancia o malentendido. Así, y para dejar de ver traiciones donde no las hay, debemos ser capaces de ampliar nuestro sentido de comprensión y nuestra capacidad de perdón. La psicología del perdón: la clave para la salud El Dr. Bob Enright de la Universidad de Wisconsin es uno de los expertos más conocidos en el estudio de la psicología del perdón. Después de más de tres décadas de analizar casos, hacer estudios y escribir libros sobre el tema, ha concluido algo que podría llamar nuestra atención. No todo el mundo puede hacerlo, no todo el mundo puede dar el primer paso para ofrecer perdón. La razón de esto radica en la creencia de que el perdón es una forma de debilidad. Esto es un error. Una de las mejores ideas que nos da la psicología del perdón es que perdonar, dar el primer paso y permitirnos avanzar con mayor libertad en nuestro presente, nos da la oportunidad de aprender nuevos valores y estrategias. o abordar cualquier fuente de estrés. Perdonar y reciclar rencores nos libera; Es un acto de valentía y fuerza. Dr . Enright nos recuerda que hay muchas razones para perdonar. Lo mejor de todo esto es que ganaremos salud. Son muchos los estudios que muestran la estrecha relación entre el perdón y la reducción de la ansiedad, la depresión y otros trastornos que reducen nuestra calidad de vida. La persona que permanece día tras día atrapada en el ciclo de los recuerdos, las garras del resentimiento y el odio persistente hacia un evento pasado o una persona en particular, se desarrolla más allá de la infelicidad, el estrés crónico. Nadie merece vivir así. Porque no hay emoción más tóxica que la ira combinada con el odio ... Pongamos, pues, en práctica algunas de las siguientes estrategias para facilitar el camino del perdón: Perdonar no es olvidar, es aprender a pensar mejor y comprender que no estamos obligados a facilitar la reconciliación, sino a aceptar lo sucedido sin sentirnos "débiles" dando este paso. Perdonar es liberarnos de muchas cargas que no merecemos llevar a lo largo de nuestra vida. El odio requiere energía, coraje y esperanza. Debemos, por tanto, aprender a perdonar para sobrevivir y vivir con más dignidad. La redacción terapéutica y llevar un diario también pueden ayudarnos. Debemos entender, a su vez, qué tiempo por sí solo no ayuda a olvidar. Dejar ir los días, meses y años no impedirá que odiemos o recordemos lo sucedido. No dejaremos mañana el malestar que sentimos hoy. Necesitamos to entender que el perdón es un proceso. Es posible que nunca seamos capaces de perdonar por completo a la otra persona, pero podemos descargar una buena parte de todo el resentimiento para poder respirar un poco mejor ... Para concluir, el campo de la psicología del perdón es muy amplio y, a su vez, tiene una relación muy estrecha con la salud y el bienestar. Es una disciplina que nos ofrece estrategias fabulosas para aplicar en cualquier ámbito de nuestra vida, nuestro trabajo y nuestras relaciones diarias. Perdonar es, por tanto, una de las mejores habilidades y virtudes que podemos desarrollar como seres humanos. Mitos acerca de Perdón El perdón es un arma poderosa que te permite vivir en paz con los demás y especialmente en paz contigo mismo. Sin embargo, muchas personas no comprenden lo liberador que puede ser perdonar a los demás. El perdón puede ser un arma de doble filo. De hecho, es una forma común de manipular a los demás para que usted haga lo que quiere. Por eso es importante comprender bien el perdón y aprender a establecer límites para protegerse del abuso de los demás. Por otro lado, nuestra cultura nos impone ciertas formas de comportamiento que seguimos mecánicamente, muchas veces sin darnos cuenta de lo que estamos haciendo o por qué lo hacemos. Simplemente reaccionamos como se espera que hagamos, sin pensar en otras opciones, alimentando y reforzando los estereotipos que tanto nos desagradan. La F A continuación se encuentran los conceptos erróneos y creencias más extendidos sobre el perdón. Reflexionar sobre estos mitos te ayudará a perdonar con más sinceridad y a ser más consciente de lo que haces y por qué. Debes superar la sensación de ser herido antes de perdonar. Muchas personas creen que primero deben superar el dolor y la ira para perdonar, como si primero necesitaran sentirse mejor para poder perdonar. Pero la realidad es todo lo contrario. El perdón es una elección que debemos tomar. Si espera que pase la molestia, hará que el proceso sea cada vez más difícil. Es con la "cabeza caliente" que debemos decidir. De esta forma, el estado de tensión y aburrimiento pasará primero porque no dejará que la ira se apodere. 2. Tienes que elegir el perdón, aunque no lo sientas Esto es algo que intentamos transmitir a nuestros hijos, y muchas personas aún se adhieren a esta premisa en la edad adulta. Pero el perdón no es una opción que se te pueda imponer. Debe ser una elección libre y consciente, incluso si se tarda un poco más en cumplirlos. Si solo perdonas porque tienes que hacerlo porque crees que tienes que hacerlo, pero no perdonas desde lo más profundo de tu corazón, entonces la ira y la rabia se convierten en negatividad que eventualmente busca una salida. Tómate todo el tiempo que necesites, pero decide por ti mismo si perdonas o no. 3. No debes perdonar lo mismo una y otra vez Las personas son personas y eso significa que cometemos errores y, a veces, lo mismo. De hecho, somos las únicas criaturas que tropezamos dos veces con la misma piedra, así se dice. Aprender de sus errores no es fácil, especialmente si no es plenamente consciente de su error. Después de todo, no todo el mundo entiende todo de la misma manera y hay muchos factores que influyen en nuestro comportamiento. Hay cosas que puedes perdonar una vez, pero te resulta muy difícil hacerlo por segunda vez. Pero no todos ofendidos s son igualmente graves y su efecto depende de la persona que los cometa. Por lo tanto, debe analizar cada problema de forma individual y no generalizar. 4. No puedes perdonar a nadie que no se haya arrepentido Si la persona no se arrepiente de lo que ha hecho, entonces todo el peso de la ira y la irase romperá sobre ti. De hecho, dolerá mucho más. Sin embargo, si logras perdonar a una persona que te ha lastimado, te liberarás de esta pesada carga. Muchas personas usan esto para lastimar a otros porque entienden el poder que tiene para no mostrar remordimiento por sus acciones. Pero si los perdonas, los desarmarás. Los tomará como un medio importante para lograr propósitos negativos. 5. Al perdonar, valida la acción de la otra persona. Mucha gente cree que perdonar es una forma de decirle a la otra persona que lo que han hecho está bien. De hecho, muchas personas utilizan esta forma de pensar para validar acciones inapropiadas o ilegales. Sin embargo, es más probable que le diga a alguien que ya no tiene el poder suficiente para influir en usted si lo perdona. Dices que estás por encima de estas cosas. En ese sentido, el perdón le permite anular la manipulación psicológica que la otra persona está intentando ejercer. Esto no tiene nada que ver con la validación de una acción. Los beneficios del perdón A veces las personas que nos rodean hacen cosas que nos lastiman y nos hacen sentir traicionados o incluso atacados. En otras situaciones, somos nosotros los que hacemos algo de lo que luego se arrepienten. No siempre es fácil perdonar, pero es realmente saludable. Incluso si nos enfocamos principalmente en nosotros mismos, debemos aprender a perdonar. Porque el perdón no solo es importante para nuestra salud mental, sino también para nuestro bienestar físico. El perdón es más fácil de decir que de hacer, y a menudo lo encontramos como un gran desafío. A veces los malinterpretamos y pensamos que se trata de que alguien se salve, lo que está sucediendo y se entregue para pagar al otro. Pero el perdón es mucho más que eso. Perdonar es renunciar a lo sucedido. Y cualquiera que sea la situación, el perdón promueve nuestra salud. El perdón es bueno para el corazón Perdonar promueve la salud de nuestro corazón s . En un estudio publicado en el Journal of Behavioral Medicine, se ha descubierto que el perdón está asociado con un pulso y una presión arterial más bajos. El mismo estudio mostró que perdonar ayuda a reducir el estrés. Para que podamos contribuir específicamente a la salud de nuestro corazón y a nuestra salud en general. El perdón es bueno para nuestra salud física y mental Un estudio posterior encontró un vínculo entre el perdón y cinco parámetros de salud: síntomas físicos, medicamentos tomados, profundidad del sueño, cansancio e incomodidad física. También parece que podemos ver un fortalecimiento de nuestra espiritualidad, nuestra capacidad para lidiar con los conflictos y reducir el estrés, al reducir los efectos negativos y los síntomas de depresión causados por la falta de perdón. Entonces, el perdón tiene un gran impacto en nuestra salud en general. El perdón ayuda a tener mejores relaciones con los demás Otro estudio, publicado en la revista Personality and Social Psychology Bulletin, encontró que el perdón ayuda a restaurar pensamientos, sentimientos y comportamientos positivos en la persona que está siendo perdonada. Esto significa que cuando perdonamos, restauramos el estado positivo original de la relación. Además, esto puede conducir a un comportamiento positivo hacia terceros. Existe una conexión entre el perdón, el trabajo voluntario, las donaciones, la caridad y otros comportamientos altruistas. Algunos pensamientos finales Cuando perdonamos, nos liberamos de nosotros mismos, de nuestra propia esclavitud. Renunciamos al dolor y la amargura que hemos llevado sobre nuestros hombros como un yugo, permitiéndonos ser libres. Al perdonar, concluimos con algo de nuestro pasado a lo que nos hemos aferrado. El perdón también significas aceptar lo que ha sucedido. Así es como experimentamos una liberación profunda dentro de nosotros, no solo de los hechos o acusaciones de otros, sino también de nosotros mismos. No solo es importante perdonar a los demás. También es importante pensar en las cosas que tenemos que perdonarnos. Perdonar es bueno para el cuerpo, para la mente, para las relaciones interpersonales y para encontrar nuestro papel en este mundo. Darnos cuenta de esto debería convencernos de que es mucho mejor dejar ir y perdonar su ira. La importancia del perdón Perdonar es fundamental porque nos libera de malos sentimientos como el rencor, la ira y la venganza. Cuando sentimientos negativos como estos abruman a un ser humano, el peor de ellos se manifiesta, provocando daños físicos y psíquicos a él mismo y a quienes lo rodean. Algunas personas permanecen resentidas con otras y mantienen un dolor continuo durante mucho tiempo, lo que es extremadamente dañino para ambos. Después de todo, quien no perdona limita sus posibilidades de amar. El perdón es una oportunidad para liberarse de los hilos negativos del pasado y seguir adelante. Por tanto, perdonar es una acción liberadora que simboliza la inteligencia y permite madurar a la persona. No perdonar impide la oportunidad de vivir nuevas posibilidades y tener más satisfacción en la vida personal. Desarrollando el poder del perdón Perdonar no significa olvidar, sino recordar lo sucedido y estar en paz con los demás y con uno mismo. Al perdonar, es posible deshacernos del sentimiento de amargura que puede atraparnos en torno a un recuerdo negativo. Desarrollar el perdón requiere que incluso si el recuerdo del acto pasado regresa para visitar los pensamientos, no afecta nuestro presente ni sacude nuestra paz habitual. Sin él, una persona que no perdona permanece estancada, incapaz de entablar una interacción simple debido a un mal sentimiento. Aunque la injusticia sufrida fue grande, no debe contaminarnos por completo. El perdón es necesario. Es un gran desafío de madurez y experiencia. Razones para perdonar Hay muchas razones para perdonar. Los sentimientos como el dolor y el resentimiento son agotadores tanto mental como físicamente, lo que provoca insomnio, estrés y depresión. Así que perdona, porque: es bueno para ti: dejas de concentrarte excesivamente en tus heridas y puedes concentrarte más en las cosas que son positivas para ti; te quita un peso de encima: quitas el estrés de la ofensa de otra persona; ofrece una visión correcta de los hechos: analiza los hechos con ojos claros, sin odio e inmadurez; te da la oportunidad de vivir nuevas posibilidades: te sientes más libre para abrazar el mundo y vivir sin miedo a volver a confiar en los demás. Perdonar es difícil, pero es una acción muy inteligente y tiene muchos beneficios. El sentimiento que genera el perdón transmite más tranquilidad y autoconocimiento. Además, albergar rencores solo aumenta las posibilidades de atraer más enemigos y retrasar la vida. Es mejor valorar su tiempo con sentimientos positivos poniendo su corazón y sus pensamientos en algo que lo haga feliz. Por lo tanto, no subestimes el poder del perdón. Perdona al que te lastimó y sigue adelante. Herramientas de coaching: los 10 pasos para el perdón El perdón es un proceso mental, físico y espiritual de dejar de sentir, o más bien resentir, emociones negativas como la ira, el miedo, el dolor y la culpa. Es también un acto de liberación de sentimientos dolorosos que nos hacen revivir el sufrimiento cada vez que recordamos nuestros errores, ciertas personas, y los momentos que nos han causado profundas penas.frustraciones y desilusiones. El perdón nos hace mirar hacia adelante, nos hace avanzar sin la compañía de viejos remordimientos y tiene el poder de restaurar nuestro optimismo. Por otro lado, cuanto más tenemos que vivir con el dolor, más lejos estamos de iluminar nuestros pensamientos, ya que a menudo volvemos a nuestro pasado y nos sumergimos en el dolor y los problemas no resueltos. Perdonar es especialmente un acto de amor por ti mismo y por aquellos que nos han hecho daño. Proporciona mayor bienestar físico, mayor satisfacción con la vida, equilibrio emocional y nos hace vivir plenamente nuestro aquí y ahora. Los 10 pasos para el perdón Permiso para perdonar - El perdón viene de adentro, del permiso genuino que otorgamos para perdonarnos a nosotros mismos y a los demás por cualquier daño que nos hayan causado. Este acto nos libera de sentimientos negativos, estrés y corta severamente el vínculo con el evento / persona. Aceptación de ti mismo - Trate de comprender quién es usted en esencia e identifique por qué un hecho en particular le causa tanto dolor / enojo. Con esto, intente expresar sus sentimientos y expresar su punto de vista sobre la situación. Diálogo interno y enfoque en el perdón - Asumir la responsabilidad de hacer todo lo posible para lograr el perdón a uno mismo. Busque dialogar con sus sentimientos y concéntrese en convertir su dolor en emociones positivas y motivación para continuar. Comprender el propósito del perdón - El perdón no es aceptar el error de uno, sino liberarse de los sentimientos dañinos que lo atan. Al perdonar, restauras tu paz mental, tu equilibrio emocional y redimes las emociones positivas que antes estaban inmersas en tus dolores. Vive el aquí y el ahora - Entiende que no es lo que pasó, sino tu interpretación del hecho, ayer o hace diez años, lo que te hace sufrir. No traigas emociones negativas del pasado a tu presente. Permítase tomar nuevas lecturas y reaccionar de manera diferente. Permítase reasignar - En momentos de angustia, trate de ejercer el autocontrol, ya que esto evita que las hormonas del estrés se propaguen por todo su cuerpo y causen ansiedad y angustia. Respire lentamente, relájese, visualice un nuevo escenario e imagine otro resultado de la situación. Pensar Positivo - Todo comportamiento, por malo que sea, tiene una intención positiva. Imagina nuevas formas, nuevas formas de alcanzar tus objetivos y deja de centrarte en el error en sí. Recuerda tus logros, tu historia de vida, siéntete orgulloso y honra tu historia. Vive con amor - Decide vivir el lado bueno de la vida, deja de enfocarte en la persona que te lastimó y evita preocuparte por las decepciones. Trate de ver actitudes positivas, amor, gratitud y bondad a su alrededor. Busque el aprendizaje - Genere oportunidades de decepción para aprender a lidiar con sus frustraciones y a perdonarse a sí mismo y a los demás. Nadie es infalible, ni siquiera tú. Reconozca sus propias fallas, aprenda de ellas y siempre traiga algo positivo a su vida. Ser cierto - Perdónese sinceramente, reconozca sus errores y trate de no sufrir más por ello. Del mismo modo, pida perdón a aquellos que puedan haber lastimado y ofendido, y permita que la otra persona también se libere del hecho.

CAPITULO ONCE El arte del pensamiento positivo para vivir mejor El pensamiento positivo y un mayor control sobre el flujo de nuestros pensamientos es invertir en la calidad de vida. Porque quien controla la voz de la negatividad puede influir directamente en sus propias emociones. Porque quien piensa y siente influye positivamente en su comportamiento, en su organismo e incluso en su propia salud. En thAl final, la felicidad comienza con lo que sucede dentro de nosotros mismos, no afuera. Aunque todos conocemos estos principios, en nuestra vida diaria seguimos dando demasiada importancia a esta voz crítica que ama la negatividad. Es ella quien nos recuerda los errores de ayer. Es esta presencia la que nos derriba, llevándonos a las puertas de la ansiedad, anticipando lo que puede o no suceder si hacemos esto o aquello. Antes de desesperarnos por este tipo de pensamiento que a menudo nos caracteriza, vale la pena tener un punto muy claro. "Ningún pesimista ha descubierto jamás los secretos de las estrellas ni ha abierto una nueva puerta al espíritu humano". Helen Keller Los neurocientíficos nos recuerdan que el cerebro humano está programado para enfocarse en lo negativo. No es una maldición ni un castigo impreso en nuestro ADN. Es nuestro mecanismo de supervivencia. Al anticiparnos a los peligros (aunque no sean reales), preparamos nuestro cuerpo para defendernos de ellos. Los sentimientos como la preocupación, la ansiedad o la ansiedad liberan instantáneamente diversas sustancias químicas como el cortisol para permitirnos estar siempre "alerta". Por otro lado, otra cosa que también nos dicen los neuropsicólogos es que los pensamientos negativos actúan como el hábito de fumar. No solo impactan nuestra salud y bienestar. Suelen quedar impregnadas a nuestro alrededor, afectando a nuestras familias, amigos, compañeros de trabajo... Porque el cerebro de quien nos escucha también cambia, también acaba sintiéndose nervioso e irritable... Piense en positivo para entrenar su cerebro hacia el bienestar Barbara Fredrickson es una conocida científica de la Universidad de Stanford, famosa por sus estudios en psicología positiva. Como explicas en tus estudios, superar la influencia de la negatividad es un desafío que, una vez superado, se convierte en una inversión rentable. Más que un arte, el pensamiento positivo es el resultado de un ejercicio continuo con el que cambiar la programación "de fábrica" de nuestro cerebro. Como ya sabemos, nuestra mente tiene una inclinación natural a concentrarse en el lado negativo para asegurar nuestra supervivencia. Por tanto, debemos poder incluir dentro de nosotros otro camino, otro programa sofisticado para invertir no solo en afrontar los riesgos sino también en invertir en el bienestar, en la felicidad. Al final, el pensamiento positivo genera claridad, equilibrio y dirección. Nos ayuda a no perdernos en los pantanos del miedo para ser más proactivos, más seguros de nosotros mismos. Así es como podemos entrenar nuestros cerebros para que aprendan a pensar en positivo. 1. Entrene su atención para que ella se concentre en el presente. Daniel Goleman recuerda la importancia de entrenar nuestra atención en su libro Focus. Deberíamos verlo casi como un músculo, una entidad que deberíamos poner a nuestro servicio, no al servicio de una mente errante. La cuestión es que este proceso psicológico básico está más controlado por nosotros mismos que por estímulos externos o pensamiento anárquico. Como curiosidad, conviene recordar que el circuito del pensamiento se extiende a lo largo de la circunvolución del cíngulo superior y la corteza medial prefrontal. Nuestras racionalizaciones fluyen a través de estas estructuras cerebrales. A veces, esta vía de células, conexiones y neuronas es tan hiperactiva que es difícil controlarla. En poco tiempo aparecen el cansancio, el estrés, la apatía, la negatividad... Una forma de controlar el pensamiento es controlar nuestra atención. Para lograrlo, nada mejor que "desconectar" este flujo de pensamientos. Durante al menos 15 minutos tratando de no pensar en nada. Imagina la superficie de un lago, silenciosa y suave como un espejo. Todo está en equilibrio, no hay sonidos. Cálmese. Una vez que podamosSilenciar la voz de los pensamientos, centraremos nuestra atención en lo que nos rodea. En el momento presente. 2. Piensa en positivo, el arte de tener un propósito El pensamiento positivo requiere un propósito. La negatividad y todo el ruido de pensamientos inviables son como un ciclón sin rumbo que se lo lleva todo. Por tanto, para romper con esta tendencia mental improductiva debemos definir nuestro propósito. Quiero sentirme bien, quiero estar tranquilo, quiero alcanzar mis metas, quiero estar bien conmigo mismo ... Todos estos objetivos siguen una dirección, un sentido claro. Entonces, una vez que tengamos nuestra atención enfocada en el momento presente, lo que haremos es enumerar nuestros propósitos uno por uno con convicción. Establecer metas es clave para el bienestar, darle sentido a la vida, estar fascinado y dejar que estas emociones positivas influyan en nuestra conducta. Entrene la capacidad de su cerebro para trabajar con información positiva El pensamiento positivo no solo requiere concentración, atención adecuada, propósito y voluntad. También requiere la construcción de redes en nuestro cerebro para recordar la importancia de trabajar con información positiva. ¿A qué nos referimos con eso? Básicamente, aunque nos digamos a nosotros mismos: "Tengo una meta que lograr", nuestra mente a veces todavía está posicionada en mecanismos antiguos, en un camino de acciones negativas e inviables. Trabajar con información positiva requiere eliminar nuestras actitudes limitantes. Además, necesitamos crear un yo más relajado, más abierto a la experiencia y más optimista. Debemos dejar de lado los errores del pasado para ver las oportunidades presentes. Asimismo, será muy importante aprender a utilizar filtros para guardar solo la información útil, la que ayuda y estimula, no la que nos vuelve a poner en nuestra zona de confort.

CAPITULO DOCE Los pensamientos destruyen pero también curan La salud y la enfermedad se ven ahora como un equilibrio complejo que surge de la interacción entre cuerpo y mente, entre organismo y pensamientos. Poco a poco, vamos superando las visiones simplistas que nos quitaron la influencia del mundo subjetivo en nuestro cuerpo y, por tanto, en la enfermedad y la curación. La medicina convencional está tomando conciencia gradualmente de las limitaciones de su enfoque. El siglo XX estuvo marcado por un paradigma en el que prevaleció la idea cuerpo-máquina. Visto a través de este punto de vista, el organismo era como un aparato hecho de diferentes partes, y la enfermedad era una disfunción en cualquiera de los estas partes, tanto funcionales como estructurales. "Si no actúas como piensas, terminarás pensando como lo haces". −Blaise Pascal− Sin embargo, gracias a los avances de la propia medicina, se puede comprobar que la dimensión interior tiene una fuerte influencia, directa o indirecta, en el estado de salud de cualquier persona. Además, esta influencia es aún más marcada en el estado de salud percibido. Por eso dicen que esos pensamientos -con su influencia- enferman y matan, pero también curan. Medicina farmacológica y medicina del pensamiento Bruce Lipton es un Ph.D. en Biología Celular y autor de varios libros. Profundizó en la salud, la enfermedad y la influencia del pensamiento en estos procesos. Sus hallazgos y razonamiento son increíblemente interesantes. Lipton señala que la medicina farmacológica es prácticamente un fracaso. Esto se debe a que los fármacos químicos, todos ellos, provocan tantos o más efectos adversos que la propia enfermedad. Dice que incluso muchas de estas drogas conducen a la muerte con el tiempo. También afirmó que el entorno natural de la célula es la sangre y que, a su vez, los cambios en la sangre están determinados por el sistema nervioso. En el samEn este momento, el sistema nervioso es el entorno natural de pensamientos y sentimientos. Por tanto, desde el punto de vista de Lipton, son los pensamientos y sentimientos los que finalmente enferman y, en consecuencia, los que también tienen la posibilidad de ayudar a curar. El poder de los pensamientos en el cuerpo. No es solo Bruce Lipton, sino muchos investigadores quienes dan un poder enorme a los pensamientos en los procesos de enfermedad y curación. Incluso los médicos expertos en farmacología saben que si alguien tiene una enfermedad, es más probable que se cure si permanece en un entorno circundante, rodeado de afecto y confianza. No es una cosa esotérica, ni un efecto del más allá. La explicación del poder de los pensamientos también es una cuestión de química. Cuando una persona está en presencia de una presencia agradable o disfrutando de un estímulo positivo, su cerebro secreta dopamina, oxitocina y una gran cantidad de sustancias beneficiosas para la salud de las células. Lo mismo ocurre cuando el estímulo es negativo, provocando miedo, enfado o cualquier otra emoción destructiva. El cuerpo desarrolla una tarea titánica todos los días: producir cientos de miles de millones de nuevas células para reemplazar las que mueren. También necesita defenderse de miles de patógenos que amenazan la salud. Si su cuerpo siente que tiene que luchar con estímulos altamente negativos del área circundante todos los días, gastará toda su energía en él y dejará de lado estas otras funciones de crecimiento y protección. La consecuencia: te enfermas más fácilmente.

CAPITULO TRECE Cómo lidiar con un momento de tristeza La mejor forma de afrontar un momento de tristeza es aceptar que ese momento existirá y tratar de comprenderlo. Tenemos derecho a estar tristes de vez en cuando, así como a vivir esos momentos que son parte natural de la vida. Idealmente, no dejes que nos afecten demasiado intensamente. Lidiar adecuadamente con un momento de tristeza tiene mucho que ver con nuestra actitud hacia él. En muchas ocasiones, dependiendo de nuestro punto de vista, nuestra interpretación y voluntad de abordarlo, el problema crecerá o se reducirá en magnitud y volumen. En primer lugar, es importante hablar de esta época en la que vivimos la fantasía de que siempre debemos ser felices y felices. Por alguna razón, la idea de que tenemos que ser felices todo el tiempo, sonrientes, optimistas y en perfecta armonía dominaba nuestras mentes. Todos sabemos que esto es imposible. Y no solo es imposible, sino que también sería inapropiado. La filosofía del pensamiento positivo no puede convertirse en una tiranía de la positividad. Este es el primer aspecto que debemos tener en cuenta cuando no lo estamos pasando bien. No estamos cometiendo ningún delito y no hay nada de malo en nosotros por estar en un momento delicado o delicado. Tristeza y depresión Cualquiera que esté vivo y sano tendrá un momento triste de vez en cuando. Todos pasamos finalmente por fases en las que las cosas se complican y no salen como deseamos. También hay momentos de cansancio, decepción o aburrimiento. Nadie vive una vida lo suficientemente perfecta como para pasar por un momento difícil. También hay pérdidas y deseos frustrados que nos causan tristeza. Es muy común que estos pasos se confundan con períodos depresivos. Muchas personas dicen que se sienten deprimidas cuando en realidad solo están tristes por una causa específica. La depresión clínica es un estado mucho más complejo y permanente que un simple momento o período de tristeza o duelo. Es necesario identificar toda la sintomatología durante un período relativamente largo. Y también que estos síntomas provocan un cambio notable y negativo en la calidad de uno mismo.la vida. Para lidiar con la tristeza ... Es importante lidiar con la tristeza antes de que se convierta en un vuelo, como se dice coloquialmente. Más que superarlo, el objetivo es comprenderlo para evitar que suceda. Para alcanzar este objetivo, el primer paso es admitir que nos sentimos desmotivados e indispuestos y darnos permiso para estarlo. Por eso es conveniente realizar las siguientes acciones: Escucharte a ti mismo. Escucharse a sí mismo significa dejar salir todas las ideas en su cabeza y detectar las emociones que están provocando. Admitir que te sientes triste y tratar de definir qué constituye tu tristeza es el camino. Hablar y escribir. Decir lo que sentimos en voz alta o escribir ayuda a organizar las ideas. La subcontratación de pensamientos es uno de los pasos indispensables para afrontar un momento de tristeza. Puede ser útil simplemente hablar mientras graba y luego escuchar su discurso. Busque las verdaderas razones. A menudo nos sentimos tristes por razones muy precisas, pero otras veces no sabemos exactamente por qué. Siempre es muy importante preguntarse qué hay realmente detrás de este sentimiento. Haga una pregunta para obtener la respuesta. ¿Qué puedo hacer para mejorar un poco ahora mismo? La respuesta a esta pregunta te dará una pista de lo que debes hacer para lidiar con este momento de tristeza. Otras cosas a tener en cuenta al lidiar con la tristeza Es muy importante que no se juzgue a sí mismo ni sea demasiado duro consigo mismo. No hay razón para dejar de sentirse triste cuando hay una razón La razón por la que te sientes así. Lo que puedes hacer es poner un límite a este estado de ánimo. Lidiar con un sentimiento de tristeza no significa acabar con él ahora mismo, sino entenderlo y evitar que crezca. Otra forma eficaz de sobrellevar un período triste es ponerse en modo de "autocuidado". Esto significa mimarse, comer algo que le guste, tomarse el tiempo para hacer algo que le brinde consuelo… Es decir, realizar alguna actividad que lo haga sentir bien. Además, trate de pensar en todas las razones por las que se siente afortunado. Siempre es una buena idea tomarse un descanso de un estado de ánimo negativo. Un ejercicio es una buena opción para esto. Todo lo que tienes que hacer es caminar por algún área donde te sientas cómodo con pasos más rápidos y tu cuerpo producirá algunas hormonas que te ayudarán. También es muy recomendable comer e hidratarse bien. Esto le ayudará a sentirse un poco mejor. Lo más importante es que siempre podrá expresar lo que siente. Si quieres llorar, simplemente llora. Si no es así, recuerde que el arte también es un terreno fabuloso para lidiar con la tristeza o cualquier otro sentimiento más problemático.

CAPITULO CATORCE El h un poco de gente positiva ¿Sabes cuáles son los hábitos de las personas positivas? Si todavía no eres una persona positiva, convertirte en una puede parecer simple. Pero a menudo no es tan fácil como crees. Elegir una forma de pensar positiva se vuelve especialmente importante cuando estamos de acuerdo con la idea de que somos lo que pensamos. Así, si pensamos positivamente, si adoptamos una actitud optimista, tendremos muchas más ventajas que si, por el contrario, caemos en la tentación del pesimismo y el derrotismo. ¿Por qué es tan importante pensar en positivo? ¿Cuáles son los beneficios de ser optimista? Además, ¿qué tienes que hacer para cambiar el chip y empezar a ver las cosas de forma más positiva? ¿Realmente podemos cambiar la forma en que pensamos y ser positivos? "Cualquier cosa positiva es mejor que una nada negativa". -Elbert Hubbard- Una mente positiva es una mente poderosa. Lo cierto es que una actitud positiva puede llevarnos a alcanzar ciertas alturas que de otra manera seríanNo será posible escalar. En este sentido, adquirir una nueva forma de pensar quizás sea lo que marque la diferencia entre quiénes somos y quiénes queremos ser. En muchas situaciones, tendemos a culpar a los demás por nuestros fracasos y adversidades. Creemos que contribuyeron a nuestras caídas. Pero no siempre es así. La próxima vez que un proyecto no evolucione o tenga un problema, haga una evaluación personal y un escrutinio de la situación. Piense que en muchos casos la mente controla lo que hacemos y cómo reaccionamos ante las personas y las circunstancias. Una persona positiva puede hacer muchas cosas que le brinden bienestar. Entonces, ¿qué obtenemos cuando elegimos pensar positivamente en lugar de caer en la tentación del pesimismo? Cada pensamiento individual y cada decisión que tomamos tiene un impacto en nuestras vidas. "El mayor descubrimiento de todos los tiempos es que una persona puede cambiar su futuro simplemente cambiando su actitud". -Oprah Winfrey- Cambia los hábitos para ser una persona positiva. El optimismo es un rasgo de aprendizaje. Entonces esto no significa que no podamos reprogramar nuestra forma de pensar, ver y mirar. Afortunadamente, como muestra la investigación, podemos ens

ñarnos a ver el mundo de una manera más positiva. Para ello, uno de los secretos es cambiar de hábitos. Los hábitos pueden ayudarnos a alcanzar el éxito o pueden ser un obstáculo y arrastrarnos hacia el fracaso. Los hábitos, sean buenos o malos, son inevitables y forman parte de nuestras vidas. En última instancia, pueden tener el poder de moldear nuestro hábitat, moldear gran parte de lo que somos. Establecer buenos hábitos no es una tarea fácil, incluso para personas muy exitosas. Cuando se trata de encontrar formas de hacer que los buenos hábitos se conviertan en parte de nuestra rutina, la lucha es real. Por lo tanto, ser proactivo y esforzarse por desarrollar buenos hábitos es un desafío para cualquier persona. Tratar de ser proactivo en lugar de reactivo aumentará las posibilidades de crear buenos hábitos y convertirse en una persona positiva. Para empezar, hay que tener en cuenta que es mejor establecer metas para los hábitos positivos en lugar de intentar eliminar las rutinas de los malos hábitos. Hábitos positivos de las personas Estos son algunos de los hábitos de las personas positivas que puede incluir en su vida para estimular el optimismo y convertirse en una persona positiva. Encuentra un punto de vista optimista en una situación negativa. . Una de las formas más simples pero más efectivas de crear una perspectiva positiva es hacerse preguntas más útiles siempre que sea posible. El objetivo es intentar sacar algo bueno de la situación: convertir la circunstancia en oportunidad. Cultiva y vive en un entorno positivo. Elija cuidadosamente con quién pasa su tiempo y qué hace en su vida diaria. Las personas con las que te quedas, lo que ves, lo que escuchas, lo que lees ... Para mantener una actitud positiva, es fundamental tener influencias en tu vida que te apoyen y eleven en lugar de derribarte. Tómalo con calma. Cuando vamos demasiado rápido, el camino suele salir mal. Pensamos rápido, hablamos rápido, nos movemos rápido... Todo entra en una espiral que da paso a una vida estresante y superficial. Adquirir hábitos de pensamiento positivo requiere reducir la velocidad. Detener - Respirar - Concéntrese. No hagas una tormenta en un vaso de agua. Es muy fácil perder la concentración, especialmente si estás estresado y demasiado rápido. Cuando sienta que los pensamientos negativos lo absorben, deténgase, respire y reorganice sus pensamientos. Trae positividad a tu alrededor . Das lo que recibes. Si agrega optimismo y positividad a las personas que lo rodean, recibirá lo mismo. La forma en que trata a los demás y cómo piensa en ellos también tiende a tener un gran efecto en cómo trata a los demás.y piensa en ti mismo. Empiece por ayudar, escuchar y sonreír. Lleva un estilo de vida saludable. Haga ejercicios con regularidad. Come y duerme bien. Esto mantendrá su cuerpo sano y su mente libre. Tendrá la energía para controlar sus pensamientos y sentir cualquier chispa de negatividad. Aprenda a responder a las críticas de manera saludable. La crítica es casi inevitable, tanto ustedes como los demás hacen. La clave es aprender a lidiar con ellos de manera saludable, comenzando por dejar claro qué es verdadero y objetivo sobre la crítica y qué es una percepción u opinión personal. En cualquier caso, no se puede considerar la crítica como algo personal y dejarla ir. Después de todo, la crítica no es una verdad universal. Y si puedes aprender algo de ellos, realmente puedes mejorar. ¡Así que Disfrutá! Empiece el día de forma positiva. La forma en que comienzas la mañana suele marcar la pauta para el resto del día. Así que ten cuidado con cómo pasas tus mañanas. ¡Sonrisa! Las personas positivas sonríen mucho, siempre sonríen. Cuando sonríes, estás aportando optimismo, estás mostrando buen humor, estás mostrando respeto y estás transmitiendo buen rollo. Cuando sonríes, le estás enviando a tu cerebro el mensaje de que todo está bien. Todo es más fácil de sonreír.

CAPITULO QUINCE El poder del pensamiento proactivo Para tomar las riendas del destino, debemos dejar de reaccionar ante todo lo que nos pasa y atrevernos a actuar. Una forma de lograr esto es aplicando el pensamiento proactivo. Nos permite afrontar la realidad de forma creativa, responsable y en sintonía con los cambios de la vida. En esencia, se trata de encontrar la motivación para seguir adelante. A menudo se dice que lo que define a un líder es precisamente su visión y su notable capacidad para convertir una visión en realidad. Por supuesto, ninguno de nosotros, sin duda, tiene una 'bola de cristal' para anticipar el detalle, lo que puede suceder o no dentro de un período de tiempo determinado. Sin embargo, ante la realidad (nos guste o no), siempre tenemos dos opciones: aplicar el pensamiento reactivo o el enfoque proactivo. El primero define un tipo de comportamiento en el que nos limitamos a reaccionar exclusivamente a todo lo que nos pasa. Es como alguien que, mientras camina por un sendero, golpea la rama de un árbol y grita de dolor. Por otro lado, tenemos otra posibilidad interesante. No debemos limitarnos a dejar que sucedan ciertas cosas y esquivar la rama del árbol. Debemos encontrar otra forma de cruzar este camino lleno de peligros. Podemos, si así lo deseamos, aplicar el pensamiento proactivo para estar preparados, tener un plan establecido y evitar, en la medida de lo posible, ser "golpeados" por las circunstancias. Aplicar este tipo de enfoque tiene grandes beneficios. Edward de Bono, por ejemplo, un referente en el campo de la creatividad, define el pensamiento proactivo como un "razonamiento deliberado" que todos podríamos entrenar para ganar calidad de vida. "La visión es el arte de ver cosas invisibles". - Jonathan Swift - Pensamiento proactivo o aspiración a un futuro más positivo (y más saludable) Las psicólogas Stephanie Jean Sohl y Anne Moyer de la Universidad de Stony Brook llevaron a cabo un estudio muy revelador hace unos años sobre el estrés y el bienestar humano. Según este trabajo, las personas que utilizan el afrontamiento proactivo tienen muchas menos probabilidades de desarrollar altos niveles de estrés. La forma correcta de aplicar el pensamiento proactivo, según esta investigación, se basa en dos estrategias muy simples: La primera se define como "preguntas proactivas". Simplemente aclararía algunos aspectos como: ¿Qué necesito para sentirme bien a corto y largo plazo? ¿Qué cambios debo hacer para lograr my metas personales? La segunda estrategia se basa en la recopilación de "ideas preventivas". Se trata de idear estrategias sobre cómo y cómo responder a ciertas cosas si suceden. Por ejemplo, si sospecho que me pueden despedir del trabajo, debería pensar en otras salidas y tener preparado un 'plan b'. Veamos, sin embargo, qué otros factores definen el pensamiento proactivo. Pensamiento proactivo: una mentalidad positiva, creativa y flexible Edward de Bono solía explicar en sus obras que a veces las personas más inteligentes son las menos proactivas. Lo que en un principio nos puede parecer sorprendente tiene su explicación. Para anticiparnos de manera efectiva, original y positiva a nuestro futuro cercano, debemos generar muchas ideas y ser creativos. Hay personas brillantes que son expertas en un comprensión de los aspectos muy complejos de nuestra realidad. Sin embargo, son incapaces de crear alternativas o nuevas propuestas. El pensamiento proactivo necesita ir más allá del momento presente, requiere una actitud visionaria y muy flexible. No se trata, por tanto, de ser 'grandes pensadores', sino de 'pensadores flexibles y muy originales'. Tolerancia a la frustración La frustración es una bomba emocional que estalla dentro de nosotros cuando las cosas no salen como se esperaba. Pocas pruebas psicológicas son tan incómodas y difíciles de manejar. Sin embargo, es imperativo aprender a tolerar las piedras del camino que todos encontramos a lo largo de nuestras subidas particulares hacia una meta. La persona proactiva, este perfil que aplica un tipo de pensamiento deliberado, optimista y decidido, ha aprendido a vivir con el sentimiento de frustración. Por supuesto, en cualquier viaje hay dificultades, por lo que es necesario prever y encontrar formas de superar estos obstáculos en el camino. Entonces, una cosa que debemos entender en el pensamiento proactivo es que, en la medida de lo posible, debemos aprender a lidiar con este matiz sorpresa que el futuro puede traernos a través de planes innovadores. La realidad está llena de patrones La vida tiene sus estándares. Puede que al principio no los apreciemos, pero están ahí, latentes, orquestados por este fluir diario donde hay cosas que se pueden anticipar, donde hay estímulos que desencadenan procesos y acciones que traen consecuencias. La persona proactiva, por tanto, es alguien que ha aprendido a observar, analizar y despertar su visión intuitiva de las cosas. Poco a poco se da cuenta de que hay ciertos matices que no ocurren porque sí. Comprender patrones es una forma de estar preparado, pensar en estrategias de respuesta para vivir mejor. Para concluir, si nos hemos limitado a simplemente reaccionar ante los hechos en lugar de ser proactivos durante algún tiempo, debemos descansar. Cuando pasamos por una gran cantidad de eventos, lo ideal es hacer una pausa momentánea para procesar lo sucedido, para recuperar el ánimo, la energía y las fuerzas.

CAPITULO DIECISÉIS ¿Cómo identificar los pensamientos negativos automáticos? Si algo viene a la mente, y vuelve, y vuelve ... al final, tiene una connotación de realidad para nosotros. El problema es que a menudo esto no es nada real, por lo que crea una incomodidad emocional innecesaria. Combatirlo de forma inteligente es aprender a identificar los pensamientos negativos automáticos que aparecen. De esta manera luego podremos cuestionarlos y cambiarlos... ¡Aprenda a dominar sus pensamientos para recuperar su bienestar! "El trabajo del pensamiento se asemeja a perforar un pozo: el agua está turbia al principio, pero luego se aclara". Proverbio chino ¿Qué son los pensamientos negativos automáticos? La realidad es que nuestros pensamientos, esteEl diálogo interno que tenemos con nosotros mismos condiciona la forma en que nos sentimos e influye en nuestra forma de actuar. Nuestra valoración de la situación influye en cómo la interpretamos y nos hace vivirla de una forma u otra a nivel emocional. Por tanto, es necesario aprender a identificar los pensamientos negativos automáticos. Es decir, aquellos que no se ajustan a la situación y provocan emociones muy intensas, duraderas y / o recurrentes sobre lo que realmente nos está pasando. "No hay nada bueno ni malo; es el pensamiento humano el que hace que se vea así. -William Shakespeare- Los pensamientos distorsionados (o negativos automáticos) son propios y el contenido varía de un tema a otro. Es decir, son específicos de cada persona. Además, son discretos y espontáneos: pasan desapercibidos y es difícil identificarlos como una amenaza cuando aparecen por primera vez. Finalmente, creemos en ellos sin ser juzgados y generalmente los vemos como obligaciones (para nosotros mismos o para los demás). Tipos de pensamientos negativos automáticos Ahora que sabemos cuáles son, aprender a identificar los pensamientos negativos automáticos requiere conocer las diferentes formas que adoptan. La realidad es que todos los generamos en mayor o menor medida. Además, como ya se explicó, no podemos controlar su aparición, así que trabajemos para intentar cuestionarlos y cambiarlos. Para ello, tenemos que localizarlos lo antes posible. No es fácil, pero es posible. La idea es aprender a equilibrar lo que pensamos, a tener perspectiva y a dudar de la verdad. Es decir, debemos aprender a ser realistas. Los tipos de pensamientos distorsionados que solemos tener son: Ampliación o minimización: valorar en exceso los aspectos negativos y subestimar la importancia de los positivos. Pensamiento dicotómico: Clasificar situaciones como "todo o nada", "blanco o negro", "perfecto" o "desastroso", etc., en lugar de ver que en la vida real hay más grados entre extremos. Inferencia arbitraria: Sacar conclusiones negativas sin prueba o evidencia contraria. Generalización excesiva: Extraer una regla general basada en incidentes aislados, aplicándose la misma a situaciones distintas a la original. Pensamiento adivinatorio: pensar que otros reaccionarán negativamente hacia nosotros sin tener pruebas de ello. Reglas rígidas de comportamiento: Sentir que nosotros u otros estamos obligados a hacer ciertas cosas. Como esto no sucede en la realidad, suele generar muchas molestias (especialmente en nuestras relaciones interpersonales). Personalización: Tendencia a relacionar cosas ajenas a uno mismo con una implicación excesiva o inapropiada. Razonamiento emocional: Creer que las cosas son así porque nos sentimos así. Ejemplo para identificar pensamientos negativos automáticos Para comprender hasta dónde llega la influencia de estos pensamientos aparentemente inofensivos, veamos un ejemplo. Después de una reunión, un colega nos dice: "Me gustó cómo se desempeñó en la reunión, aunque parecía estar un poco nervioso". Quizás ante esta situación, podríamos pensar, "Oh, Dios mío, soy el peor, pensarán que soy un desastre... ¡Siempre hago todo mal! Estoy seguro de que ya no querrán que hable en las reuniones. " Aquí hay un poco de todo: ampliar lo negativo y minimizar lo positivo (ni siquiera notamos que le gustó cómo nos presentamos), pensamiento dicotómico ("siempre hago todo mal", "soy el peor" en lugar de viendo que hay más grados en el medio), inferencia arbitraria ("Estoy seguro de que no querrán que hable más"), conjeturas sobre el pensamiento ("ellosCreo que soy un desastre "), etc. No es fácil, pero si nos comprometemos a identificar los pensamientos negativos automáticos que aparecen, tal y como hicimos en el ejemplo, seremos testigos de todo el proceso: uno en el que hacemos una montaña de un grano de arena. Este paso es fundamental para aprender a controlar nuestros pensamientos y, por tanto, nuestras emociones.

CAPITULO DIECISIETE Estrategias que reducen los pensamientos negativos Es fácil volverse rehén de una dinámica de pensamientos negativos, sobre todo cuando tenemos mucha acumulación y provocan una inercia que afecta principalmente a los filtros que utilizamos para procesar la información. Los pensamientos de los que hablamos se acumulan de la misma forma que la pequeña bola de nieve aumenta de tamaño cuando la arrojamos desde la montaña. Entonces, un pequeño pensamiento inocente, liberado sin conciencia o intención, eventualmente puede convertirse en algo enorme que contaminará todas nuestras emociones, comportamientos y otros pensamientos. Como la fuerza de la pelota que cae sin control, creciendo cada vez más rápido, los pensamientos negativos agotan nuestra energía y nos dejan sin fuerzas. Y cuanto más te rindes a estos pensamientos, más fuertes se vuelven. Es más, así como es más difícil detener esa pequeña bola después de que ha rodado varios metros y ha aumentado de tamaño, también es más difícil detener una bola de pensamientos negativos que ya ha comenzado a rodar. Por lo tanto, intervenir a tiempo para evitar que la pelota caiga puede ser una buena estrategia y luego no requerirá mucho esfuerzo lograr el mismo objetivo. ¿Qué hacer con los pensamientos negativos? La vida nos plantea desafíos, muchas veces sin darnos un respiro y sin considerar los recursos con los que contamos. Tener pensamientos negativos o derrotistas en este escenario es razonable. Sin embargo, alimentarlos, mantenerlos o incluso perseguirlos disminuye la calidad de vida y envenena nuestra imagen de nosotros mismos. ¿Qué necesidad tenemos de atacar nuestra autoestima de esta manera? Los pensamientos negativos son parte de tu prisión, una prisión que creas para ti mismo. Deshacerse de su arresto es tan simple como cambiar su forma de pensar. El pensamiento negativo a veces duele y, a veces, condiciona nuestro comportamiento. Puede hacernos actuar desesperadamente cuando no hay necesidad o incluso fomentar la posibilidad de tirar la toalla cuando todavía tenemos mucho que ver con nuestros recursos y nuestras habilidades. Los pensamientos negativos a menudo condicionan nuestras decisiones, no exactamente para bien. Entonces, ¿por qué alimentamos el pensamiento negativo cuando sabemos que nos duele? El problema comienza cuando aparecen los primeros pensamientos negativos y no los manejamos adecuadamente. En definitiva, cuando la pelota aún es pequeña y no ha contaminado toda nuestra mente. Por ejemplo, algunas personas tratan los pensamientos negativos, o más bien la ansiedad que producen "atacando" el frigorífico. Una estrategia que suele generar pensamientos aún más negativos, en este caso, sobre nuestra capacidad de autocontrol y nuestro cuerpo. Con este tipo de pensamiento surge otro fenómeno curioso: incluso si eres consciente de que debes olvidar eso, no obstante, sigue siendo un desafío no pensar. Cuanto más sientas que necesitas olvidar, más presente se vuelve él. Y luego reflexionas sobre una idea que te incomoda y puede comprometer seriamente tu salud mental. Cómo lidiar con el pensamiento negativo Entonces, ¿cómo eliminamos estos pensamientos negativos? De hecho, el pensamiento negativo no se puede evitar por completo. A veces, estos pensamientos son solo una chispa en nuestra mente. Cuando esto sucede, debemos ser conscientes para reconocerlos de inmediato y así saber cuándo estamos pensando negativamente. Solo siendo consciente de nuestrapensamientos negativos podemos tomar medidas para lidiar con ellos. Las siguientes estrategias permitirán desactivar los pensamientos negativos y facilitarán la tarea del pensamiento positivo. Observa tu pensamiento: Los pensamientos negativos suelen ser el producto de distorsiones cognitivas o patrones de pensamiento irracionales. Míralos como si fueras un espectador. Si no dejas que se apoderen de tu mente, simplemente desaparecerán. Visualícelos como troncos que descienden río abajo. Tarde o temprano los perderás de vista. Acepta tus pensamientos negativos y déjalos ir. Reformule cualquier pregunta que se esté preguntando: Las cavilaciones son patrones de pensamiento excesivos. Cuando reflexionamos sobre una idea, estamos convencidos de que podemos resolver una situación con solo pensar más en ella. Algo que generalmente es inútil. Debe iluminar lo que realmente está en sus pensamientos y descartar lo que su mente ha creado antes de comenzar a buscar una solución. No te extrañes si tras eliminar la fantasía no encuentras otro problema que los que tú mismo te habías creado. Muévete y trabaja pensando físicamente: Cuando esté atrapado en un pensamiento negativo, póngalo en movimiento. Cambiar el chip para despertar pensamientos positivos no es tan fácil cuando tu mente está ocupada buscando una forma de sufrir. Este es un buen momento para salir, caminar, correr y bailar o practicar yoga. No se detenga a pensar, su mente está demasiado ocupada, simplemente deje que su cuerpo se haga cargo y mueva su mente a otra parte. Evite los desencadenantes de pensamientos negativos: una canción, una imagen, una lectura, programas de televisión, la compañía de determinadas personas... Cuando descubras qué estímulos desencadenan tus pensamientos negativos, evítalos. Y, en la medida de lo posible, sustitúyelos por otros que despierten en ti agradables sensaciones. No te martirices ni pongas las cosas más difíciles. Busque la compañía de personas positivas y experiencias agradables: Si lo que ves, lo que oyes y lo que lees es positivo, si las personas que te rodean son positivas, es más fácil mantener a raya los pensamientos negativos. Cualquier desencadenante del pensamiento negativo será más fácil de eliminar si el optimismo lo rodea. Repita declaraciones donde solían estar los pensamientos negativos: el pensamiento negativo es a menudo un hábito aprendido. Entonces, en lugar de dejarse invadir por cualquier pensamiento negativo habitual, adquiera el hábito de pensar en positivo en esas circunstancias. Para recordar o reforzar esta actitud, puedes escribir en papel, en tu ropa, en el fondo de tu computadora o teléfono, o incluso en tu propia piel. Recuerde que nadie es perfecto y sigue avanzando: Es fácil cometer errores, pero lo único que puede hacer es aprender de ellos y seguir adelante. Nada cambiará por mucho que retumbes. Y si lo que despierta tus pensamientos negativos es la vulnerabilidad o una limitación, céntrate en tus fortalezas y tus virtudes. Si no puede cambiar lo que existe, aproveche al máximo lo que ya tiene. Los pensamientos no durarán para siempre Los pensamientos negativos son fugaces y temporales, a menos que los animemos a lo contrario. No tienen poder propio, pero pueden hacer mucho daño si les damos la oportunidad de crecer. Un pensamiento no tiene más poder que el poder que le das. Los pensamientos negativos cobran impulso cuando se activan. Deshabilitarlos después es una tarea más difícil: ya no es un pensamiento, se vuelve dinámico. Cada uno es responsable de la forma en que maneja sus propios pensamientos. No importa por qué surgió este pensamiento: lo importante es poder apagarlo y construir un entorno adecuado para que estos pensamientos se apacigüen. La clave es identificary estos pensamientos negativos antes de que tengan tiempo de asentarse en su cabeza y ganar aliados.

CAPITULO DIECIOCHO Vence la ansiedad con sentimientos positivos Cuando algo importante está por suceder (o queremos que suceda), la ansiedad suele surgir y tenemos en nuestras manos lo que lo hará más grande o más pequeño. ¿Cómo frenar esta sensación o reacción? ¡Con pensamientos positivos! No dejes que la ansiedad afecte tu vida diaria. Sigue disfrutando de tu día a día y sobre todo del presente. Después de todo, como su nombre lo indica, es un regalo. Ansiedad, ganas de viajar al futuro. Si pudiéramos tener una máquina que nos llevara mañana, ¡cuántos nervios salvaríamos! Esto es cierto, pero también es cierto que no estaríamos disfrutando de nada. Por supuesto, porque el camino recorrido es tan importante como el momento en que llegamos a la meta. Imaginemos cualquier meta (casarnos, graduarnos, tener un hijo) como el destino que elegimos para nuestras vacaciones. Pero al subirnos al medio de transporte elegido para llegar al lugar (casarnos, empezar la escuela, quedar embarazada), ya queremos poner un pie en la arena, en la montaña o donde hayamos decidido ir. ¿Qué ocurre con los viajes en avión, tren o coche? Queremos que pase lo antes posible (especialmente si es demasiado largo). Pero viajar también forma parte de las vacaciones. Por eso, la organización de la fiesta, estudiar para pasar las pruebas, el crecimiento del niño en la barriga, son momentos hermosos que tenemos que disfrutar, porque no volverán a pasar de la misma manera. Por supuesto que podemos volver a casarnos, estudiar otra cosa o tener un segundo hijo, pero no será lo mismo. Si aprendiéramos a dominar la ansiedad, cada viaje sería increíble y bien aprovechado. Cuando estamos ansiosos y nerviosos es porque tenemos demasiadas ganas de futuro, porque pensamos que el presente, hoy, no es importante, es solo un medio para llegar a ese otro destino. De hecho, la felicidad desaparece de nuestras vidas cuando constantemente la ponemos frente a nuestro presente. Seré feliz cuando me case cuando me gradúe cuando nazca mi bebé. ¿Por qué no ser feliz ahora mientras nos organizamos? la lista de invitados, leer libros o hacer una ecografía? La ansiedad es el mecanismo inconsciente que tenemos para prevenirnos de algo que nos amenaza. Pensamos que lo que pasa hoy no es lo que buscamos y que solo importa lo que ocurra mañana. Sin embargo, el exceso de ansiedad puede evolucionar hacia una enfermedad crónica, o mejor dicho, podemos estar ansiosos todo el tiempo por cualquier cosa. Morderse las uñas, fumar más, deshacerse de la comida de la nevera, no poder dormir, tener problemas para concentrarse en el trabajo o en la escuela, no prestar atención a nada de lo que nos dicen, tener caída del cabello, ojeras, taquicardia… todo puede ser Síntomas de un problema de ansiedad. La Organización Mundial de la Salud (OMS) indica que para 2020, la ansiedad, la depresión y el estrés serán tres factores clave para comprender cómo se desarrolla la enfermedad. Por encima de ellos, solo el nivel de frecuencia cardíaca y el riesgo de problemas cardiovasculares. Pero cuidado; una gran parte de estos últimos también aparecerá debido a estos tres estados. Recordemos que no son negativos en sí mismos. El problema es cuando son muy intensos o cuando se quedan. Los médicos indican que no toda la ansiedad es mala, pero necesitamos saber cómo regular la dosis. Un bajo nivel de ansiedad, en cambio, también es negativo para nuestra vida, porque no nos permite enfocarnos en lo que hacemos, no tenemos visión de futuro, no podemos planificar nada, no tenemos meta, etc. . Entonces¿Cómo manejamos los niveles de ansiedad? En primer lugar, comprender que el futuro, tarde o temprano, llegará. En segundo lugar, recordar que lo que hacemos hoy nos ayuda a estar en este lugar mañana. El tercer aspecto está relacionado con aprovechar lo que cada día tiene para ofrecernos. Recuerda que nada ni nadie puede devolverte el tiempo perdido. ¿De qué sirve pensar en el mañana si todavía no puedes disfrutar del hoy? Capítulo diecinueve Cómo mantener una actitud positiva Durante años, hemos escuchado, leído y hablado sobre la importancia de mantener una actitud positiva ante las dificultades de la vida. Pero es hora de renovar nuestra forma de pensar y crear nuevos hábitos que nos permitan lograr lo que queremos. Los peligros del pensamiento extremo El La verdad bien conocida es que si dejas que los pensamientos negativos te invadan, o si permites que la depresión te abrume, pasarás por la vida sin darte cuenta de las cosas buenas que tienes. Por otro lado, demasiado pensamiento positivo puede distorsionarlo de la realidad. Los excesos y los extremos no son buenos compañeros. Tienes que cambiar tus hábitos de pensamiento, tus mecanismos de defensa contra las frustraciones y encontrar la clave para poner en marcha tu motor interior. Todo esto te permitirá tener una vida más plena. Pasos para mantener una actitud positiva Identifica la causa de tu infelicidad. Siempre hay una causa para su frustración, miedo, tristeza o malestar.

Es lo primero que debes hacer. No siempre es fácil, pero concéntrate en encontrar la verdadera causa de tu frustración, que te paraliza y no te permite alcanzar tu objetivo. A veces estas son preguntas que van más allá de lo que quieres o puedes aceptar. El resultado de este paso puede ser pesimismo. No se desanime, este es solo el primer paso hacia un cambio en los hábitos de pensamiento. Cuando te enfrentas a una dificultad puedes hacer dos cosas: evitarla o luchar contra ella. Evadir solo prolongará tu agonía, así que te recomiendo que lo enfrentes. Establezca una meta breve pero posible . Imagínese los beneficios de lograr sus objetivos. Empiece por crear hábitos muy básicos y sencillos. Por ejemplo, si desea perder peso y comer alimentos procesados a diario, disminuya la frecuencia a solo una vez por semana y ordene la mitad de lo que consume siempre. Los primeros días de cambio serán difíciles. Una vez que pueda hacer esto varias veces, se sentirá mejor consigo mismo y mucho más estimulado. Y ahora es el momento de establecer un objetivo más grande para lograr algo aún más grande, algo que te acerque a tu objetivo y aumente tu nivel de exigencia. Descubra cuál es esta acción más importante para alcanzar realmente su objetivo. Una vez que tengas bien definida tu acción, puedes pensar en positivo y hacerlo con el mayor entusiasmo posible. Esto lo mantendrá estimulado y verá nuevas acciones posibles. Recuerda que pensar positivamente no es efectivo si no actúas. Identifica las cosas buenas que tienes en tu vida. Uno de los elementos que más te ayudará a mantener una actitud positiva es agradecer. Vale la pena enumerar todo lo que consideras importante en tu vida: bienes materiales, personas, oportunidades, experiencias, etc. Es común enfocarnos tanto en lo que queremos cambiar que rara vez nos detenemos a ver qué es lo bueno de nosotros. Esto es una pena porque la mayoría busca llegar al día siguiente sin valorar el hoy, y esto se convierte en una carrera sin fin. Alivie su carga emocional. A medida que identifica lo bueno, también encontrará cosas y personas que lo lastimen. Es importante pensar por qué están en tu vida; si realmente te lastimaron, lo mejor es ponerle fin. Esto es seguroNo es un asunto sencillo. Terminar relaciones durante años o deshacerse de bienes que realmente no te satisfacen pero que te dan un cierto estatus no es fácil. Por el contrario, cuanto más pesada es la carga emocional, más importante parece ser la persona o la cosa. Pero también tendrás más libertad si lo dejas ir. Podrás cambiar tu hábito si, al ver lo que te paraliza, eres sincero contigo mismo y te propones posibles metas, y así encuentras la acción que te lleve a superar ese obstáculo y llevar una vida más positiva. Actitud positiva como motor del cambio ¿Te has dado cuenta de que tu vida simplemente no es lo que esperabas y estás cansado de tener una perspectiva negativa? Los consejos anteriores te ayudarán a mejorar tu vida, a sentirte más feliz y a tener una perspectiva más agradable de la vida al mejorar tu actitud diaria.

CAPITULO VEINTE Nueve reglas para lograr tus sueños Mientras caminamos por la calle, vemos personas cansadas, desanimadas, con rostros apagados y posiblemente sumidos en la tristeza. Sin embargo, también vemos (aunque menos) personas con otra actitud y presencia; vemos posibles ganadores mirando hacia el futuro, confiados. Probablemente, los del segundo grupo están en camino hacia el éxito, hacia su propio éxito. Pero, ¿por qué existe esta distinción? ¿Qué hace que algunos tengan éxito y otros no? ¿Qué los distingue? Si tienes un sueño (eso esperamos, porque todos deberíamos tener sueños hasta el último de nuestros días ...), trata de hacerlo realidad siguiendo estas nueve reglas. Estas son "reglas de oro" puestas en práctica por quienes logran su propósito en la vida. 1. No pongas excusas Un sueño es algo que llenaría nuestra existencia si sucediera, pero al mismo tiempo, es difícil de lograr. ¡Atención! La palabra difícil no significa "imposible". Tus sueños son posibles, pero para alcanzarlos debes superar obstáculos e incluso superarlos. No pongas excusas por algo posible. 2. Esforzarse A corto plazo será difícil; a la larga ... puedes llegar a donde siempre quisiste. Algo difícil requerirá grandes dosis de sudor, sacrificio y compromiso. No te detengas ante la realidad, esfuérzate ahora, alcanza tu meta y disfrútala; o tambalearse entre la preocupación y la frustración por la vida 3. Nunca te rindas Si hay obstáculos, habrá ocasiones en las que necesitarás más de un combate para vencerlos. El esfuerzo será inmenso, pero las personas exitosas nunca se rinden; por eso precisamente lo alcanzaron. No hagas el camino tomado en vano.

4. Mantente saludable Aunque parezca desconectado, preste mucha atención a su dieta, deportes y exámenes médicos. Es decir, cuida tu salud, ya que enfermarte sería un obstáculo que entorpecería tu camino y aumentaría aún más tu tiempo de espera. 5. No olvide sus principios para lograr sus sueños Nunca olvides quién eres. Actúa de forma coherente contigo mismo. Si comienza a desviarse de su identidad, no sabrá quién es y, por lo tanto, no sabrá por qué está haciendo ciertas cosas. Olvidarás el valor de tus sueños... ¿Y hay algo más triste que eso? 6. Arriésgate Alcanzar un sueño, superar obstáculos, implica necesariamente asumir riesgos. El regalo que ya conoces; El riesgo es un misterio. Entonces, a veces tienes que elegir entre arriesgarte y luchar por tus sueños, o no arriesgarte y quedarte quieto para siempre. 7. Establezca metas realistas Toda meta a largo plazo implica metas intermedias. Organice el plan para su sueño y vea la meta por meta. En cierto modo, esto te traerámás seguridad porque, para las fracciones, todo parecerá menos riesgoso y sentirás más control sobre tu vida. 8. Sea positivo Confía en ti mismo y acepta que no todo en la vida sale bien al principio. Si no alcanza uno de estos objetivos intermedios ahora, es posible que pueda alcanzarlo más tarde. Recuerda: si has logrado muchas otras cosas, eres capaz de todo. 9. Sacrifícate Paso a paso llegarás a donde quieras. Es posible que tenga que pasar por grandes dificultades, trabajar por salarios bajos, no dormir durante unos días. Sin embargo, nunca olvides que tu sueño te está esperando y que todos esos sacrificios que hagas hoy serán recompensados más tarde. Toma control de tu vida ¿Estás desesperado y listo para rendirte? ¿Tu vida no es lo que te gustaría? Deténgase por un momento, respire hondo y recuerde que las dificultades son solo desafíos que debemos superar. Siga estos consejos y tome el control de su vida. 1- Olvídate de todos los problemas Cuando las cosas van mal, no podemos dejar de pensar en los problemas, y eso solo empeora la situación. Cuanto más analizamos, más problemas encontramos y la situación parece más difícil y estresante. Tómate un descanso y haz algo para distraerte y relajarte. Salga a caminar, corra, duerma un poco, vea una película, etc. 2- Analizar la situación desde otra perspectiva No andes y analices el tema desde otro punto de vista. Es importante identificar el

problema y cambiar su forma de actuar. Tienes la opción de seguir sufriendo o cambiar de actitud. Al analizar una situación, aprendemos mucho sobre nosotros mismos, descubrimos nuestros miedos y lo que reflejan. Los malos tiempos nos ponen a prueba y dan forma a nuestro carácter. 3- Sea positivo El pensamiento positivo nos ayuda a tener una vida exitosa. Por supuesto, hay situaciones negativas, pero una actitud positiva nos ayuda a ver el lado bueno de la vida y a agradecer por todo lo que tenemos. No se trata de negar lo que está sucediendo, sino de encontrar un impulso para avanzar a su propio ritmo. 4- Identificar y eliminar obstáculos Descubra y elimine lo que le hace infeliz. Manténgase alejado de personas que lo lastimen, destruyan su tarjeta de crédito, dejen de ver televisión o cualquier otra cosa que le moleste. Con actitud y determinación, te darás cuenta de que hay varias opciones para tener más tiempo libre, ahorrar dinero y hacer todo lo que te haga feliz. 5- Aprende a manejar el estrés de forma saludable El estrés está presente en todas nuestras vidas, pero cualquiera que tenga el control de sus vidas usa algunas técnicas efectivas para lidiar con él. Estas personas evitan que el estrés se convierta en un problema y les hacen perder la concentración. Primero, tenemos que reducir las situaciones estresantes y reaccionar con facilidad. Haga actividades de meditación, ejercicio, caminata y relajación. 6- Establece tus metas Lo importante para tomar el control de tu vida es definir lo que quieres lograr. Sin planificación, vamos a la deriva. Tenga metas claras y actúe como si ya hubiera "llegado allí". Poco a poco, tus metas empezarán a hacerse realidad. Sea persistente y fiel a sus objetivos y viva en coherencia con sus deseos y necesidades. Tomar el control de nuestras vidas puede parecer un desafío, pero puede ser muy gratificante. Algunos toman el control de su propia vida; otros esperan que las cosas simplemente sucedan. Tienes la capacidad de elegir qué camino quieres recorrer y ser feliz.

CAPITULO VEINTIUNO Cómo ser emocionalmente fuerte Si, por un lado, la fuerza emocional puede provenir del nacimiento, por otro, también puede desarrollarse a partir de la estructura del pensamiento. Todo lo que tiene que hacer es hacer algunas preguntas,n darse cuenta de su debilidad o de su fuerza interior. Aquellos que piensan débilmente y con miedo también serán emocionalmente débiles porque los pensamientos se convierten en emociones. Por tanto, la fórmula sería la siguiente: Pensamientos tristes y negativos = emociones débiles Pensamientos motivadores y positivos = emociones fuertes Analice cuál es su pensamiento y encontrará que siempre estará de acuerdo con sus emociones. Es muy diferente afrontar una situación difícil, dudando de nosotros mismos, con miedo y pensamientos pesimistas, o afrontar esa misma situación con pensamientos positivos, como "todo irá bien", "confío en mí mismo", "vamos tú están ¡poder! ", etc. Si desea ganar fuerza emocional, debe comenzar a pensar con fuerza, seguridad y positividad. ¿Quieres ser un ganador? Bueno, para eso deberías pensar como uno. Es posible obtener emociones positivas a través del pensamiento, pero requiere práctica y puedes comenzar a sentir desde la emoción más básica. Para comenzar, simplemente repita algunas oraciones cortas y motivadoras a lo largo del día. Trate de pasar un día sin que ningún pensamiento negativo invada su mente; una vez te levantas, intenta pensar que todo es maravilloso como si sintieras una seguridad abrumadora. Actúe y compórtese como realmente le gustaría ser y lo hará eventualmente convertirse en esa persona. Abre la cortina y piensa que el día será increíble, mírate en el espejo y di: "¡Me amo! Confío en mí mismo y puedo conseguir cualquier cosa quiero "y envíate un beso. Si comienzas así el día, será como un grano de arena que se convertirá en montaña. Dile adiós al pesimismo, la victimización, los agravios, las críticas y da la bienvenida a la seguridad, la motivación y la felicidad. ¿Cuántas veces hemos visto a los entrenadores animando a sus atletas? Les dan motivación y ganas de luchar, de ganar. Utilizan la técnica de frases motivadoras positivas y esto a menudo hace que los atletas ganen las competiciones. ¡Conviértete en tu entrenador personal! Si se enfrenta a alguna situación que lo debilita, piense: "¡Vamos! ¡Animar! ¡Eres capaz! ¡Eres muy bueno y lo lograrás! ". No todo lo que brilla es oro Todo lo relacionado con frases y pensamientos positivos es muy bueno para nuestra salud mental, pero recuerda que si tienes un problema contigo mismo, inseguridad, timidez, etc., estas cosas no hacen milagros. Es cierto que esto puede ayudar mucho, pero actúa más como un calmante momentáneo; es solo para aquellos momentos en los que pensamos positivamente; desde el momento en que dejamos de entrenar nuestra mente y dejamos de usar frases motivadoras, la inseguridad vuelve con todo. Por tanto, lo más recomendable es que se utilice esta técnica como complemento, pero siempre deberíamos estar resolviendo la raíz del problema. Es posible comprar medicamentos para una persona que sufre de ansiedad ... un calmante ayudaría durante unas horas, por ejemplo; pero el problema seguirá existiendo cuando pase el efecto. Para calmar verdaderamente la ansiedad, se necesita un profesional para llegar a la raíz del problema, ya sea consciente o inconsciente, y eliminar las malas emociones que impiden alcanzar un buen estado emocional. Diferencias entre pensamientos irracionales y racionales El pensamiento irracional se define como aquel que provoca respuestas emocionales muy desagradables. Estos pueden variar desde la ira hasta la amargura o el terror, son duraderos y se basan en términos absolutistas (usando adverbios como nunca o nunca). Este tipo de pensamiento está asociado con lo que uno necesita para ser feliz, o lo que debe ser, hacer o tener para ser feliz. Es decir, tiene que ver conrequisitos autoimpuestos. Además, no suelen ser pensamientos demostrables o verificables. Por otro lado, los pensamientos racionales surgen como verificables y generan emociones de mucha menos intensidad (en lugar de ira, descontento; en lugar de amargura, resignación; en lugar de terror, miedo). Es importante enfatizar que la ira no es reemplazada por felicidad, la amargura por satisfacción o el terror por coraje. El pensamiento racional debe ser realista y coherente, y plantearlo en términos excesivamente positivos también puede convertirlo en pensamiento irracional. Además, si el individuo en sesión entiende los pensamientos racionales y alternativos como pensamientos positivos, es casi seguro que no podrá proponer tales pensamientos. Un estado mental reducido y una visión enfocada en lo negativo harán que esta tarea sea extremadamente agotadora. ¿Cómo podemos contrarrestar el razonamiento emocional? La terapia cognitivo-conductual, basada en los propios enfoques de Aaron Beck, es un buen intento de reducir este tipo de distorsión cognitiva. Aquí hay algunas estrategias básicas en las que puede pensar: Identifica pensamientos automáticos. Para hacer esto, debemos recordar que nuestros pensamientos influyen directamente en lo que sentimos, por lo que primero debemos ser capaces de identificarlos y luego analizarlos. Cuando rige el razonamiento emocional, los sentimientos se mezclan con los hechos. El pensamiento emocional empeora el estrés, agrava la depresión y también empeora la sensación de ansiedad. Por eso, siempre que experimentamos emociones negativas, es fundamental detenernos a reflexionar, analizar, canalizar y disminuir su fuerza. Siempre que haga un juicio, por pequeño que sea, pregunte qué emoción hay detrás de ese juicio y qué mecanismo lo llevó a formarse esta idea, esta evaluación. Pregúntese si puede pensar en la situación actual de una manera diferente. Por ejemplo, si te dices a ti mismo que fuiste ingenuo al confiar en alguien que cometió un error contigo, en lugar de concluir que "no puedes confiar en nadie", piensa que "ya no eres ingenuo porque hoy has aprendido la lección y seguramente no volverá a cometer el mismo error. "

CONCLUSIÓN Las mentes positivas son mentes potentes. Con una mente que tiene el deseo y la dedicación para hacerlo, podemos hacer y lograr prácticamente todo. Aunque no todo el mundo se da cuenta de este hecho de la vida, probablemente sea un buen intento de permitir un cambio de paradigma en nuestro método de pensamiento. Puede que no te hayas dado cuenta, pero tus propias acciones y pensamientos pueden provocar las desgracias y tragedias en la vida que estás experimentando. Tienden a culpar a los demás por nuestras propias deficiencias y adversidades. Creemos que han contribuido a nuestros fracasos. La próxima vez que algo salga mal o tenga algún problema, considere hacer una evaluación personal de la situación y escudriñarla. En algunas situaciones, nuestra mente influye en lo que hacemos y en cómo reaccionamos ante las personas y las circunstancias. Una persona con una mente positiva puede hacer algunas cosas buenas. Entonces, ¿qué obtenemos si elegimos pensar positivamente en lugar de ser pesimistas? No hace falta decir que, en los diferentes aspectos de la vida, el optimismo aporta muchos beneficios a un individuo: salud, relaciones, empleo, satisfacción y metas personales. Cada pensamiento y decisión que tomamos tiene un impacto en nuestras vidas.

Lightning Source UK Ltd.
Milton Keynes UK
UKHW020649120421
381850UK00013B/1197